Chapter 2. 김정아 원장 시점

영어는 내 인생의 구원자

Chapter 3. 신미선 원장 시점

글의 힘과 스며듦의 영향력

Chapter 4. 이보미 원장 시점

도전과 열정으로 매일 성장하는 영어교육 멘토

Chapter 5. 임채윤 원장 시점

국제적으로 노는 나의 아이들을 꿈꾸며

Chapter 6. 장희정 원장 시점

나를 찾아 떠나는 영어교육 여행, Project 365

에필로그

Chapter

김보라 원장 시점

F 감성 원장과
학생들의
성장 일기

그냥, 좋다.

　그냥, 영어가 좋았다. 영어를 잘하는 사람을 보면 멋있어 보였고, 외국인과 대화한다는 것에 대한 동경이 있었다. 그러다 대학 생활 중 우연히 학교에서 해외어학연수에 갈 학생들을 뽑는 공고를 봤다. 바로! 이거야! 하며 발 빠르게 신청했다. 선발 대상이 되기 위해 열심히 공부했고, 시험에도 합격했다.

　드디어 어학연수에 갈 기회가 주어졌고, 그렇게 나는 호주로 어학연수에 떠나게 되었다. 그곳에서의 경험은 나의 인생을 송두리째 바꿔 놓았다. 나는 다양한 나라의 사람을 만났고, 함께 어울렸다. 그때 처음으로 알았다. 내가 외국인과 소통에 대한 두려움이 전혀 없는 사람이었다는 것을. 정말 그 모든 것들이 즐겁고 신기했고 행복했다. 어학연수를 온 학생들과 함께 수업을 듣고, 문화를 교류하고 대화도 나누면서 행복감을 느꼈다.

　어느 날이었다. 여러 학생과 식당에 둘러앉아 점심시간을 가졌다. 홈스테이 가정에서 싸 준 도시락을 함께 먹고 있었다. 물이 마시고 싶어서 도시락에 든 물통의 뚜껑을 열려고 했지만 아무리 돌려도 열리지 않았다. 내 힘이 약해서 그런가? 싶어서 외국인 친구들에게도 열어달라고 부탁했는데, 아니 이게 웬일!. 다른 친구들이 뚜껑을 열려고 해도 정말로 열리지 않았다. 그때 알았다. 이건 물통이 아니구나…. 알고 보니 그건, 아이스팩이었다! 그것을 알고는 우리 모두 깔깔대며 웃었다.

　다음날 평소처럼 학교에 갔는데 나는 그들에게 인싸가 되어 있었다. 지나가면서 나와 눈이 마주치면 함께 웃었고, 한마디라도 대화를 더 나눴다. 그러면서 나는 외국인과의 소통도 한국인과 똑같다는 것을 느꼈고, 눈빛, 손짓, 표정 등으로도 대화가 충분히 통했기 때문에 외국인과의 의사소통에 겁을 내지 않았다.

　어학연수 동안 가장 좋았던 또 다른 하나는 홈스테이 가족들과 보낸 시간이었다. 나처럼 어학연수를 온 일본인 친구, 홈스테이 가족과 함께 살았다. 서툴지만 3개 국어를 써 가며 대화했던 경험도 아주 즐거웠다. 일본인 친구는 그때에도 한국에 관심이 많아서 한국 가수와 드라마를 좋아했다. 그래서 한국인인 나에게 너무나도 관심이 많았고, 한국의 모든 이야기를 즐거워했다. 그 일본인 친구는 아마 한국어와 영어 두 언어를 배우는 어학연수가 됐을 것이다.

나는 한국에서 호주로 올 때, 홈스테이 가족들을 위한 선물 몇 가지를 샀다. 한국을 대표하는 머드 팩, 등 긁개. 지금 생각하면 너무 황당하기 그지없는 물건들이었다. 왜 그걸 챙겨 갔을까? 그때에도 나는 유머에 관심이 많았나 보다. 홈스테이 가족들을 웃겨 주고 싶었던 것 같다. 저녁 식사를 마치고 다 같이 티브이를 보며 앉아 있었는데, 갑자기 머드팩을 가져온 생각이 났다. 신난 발걸음으로 내 방에 가서 가져온 선물들을 가족들에게 보여주었다. 한국에서 가져온 한국 전통 팩이라고 소개하니 너무나 좋아했고, 같이 해보자고 권유했다. 세수하고 다시 모였고, 나부터 시작했다.

황토색 팩을 손에 쭈욱 짜서 덕지덕지 얼굴에 펴 바르니, 가족들이 깜짝 놀라며 크게 웃었다. 그 모습이 너무나 웃겨 보였나 보다. 팩을 다 하고 난 후 거울을 봤는데 왜 가족들이 웃었는지 알았다. 거울 속에 나는 마치 둘리 친구 마이콜 같았다. 정말 못 볼 꼴이었다. 그래도 가족들에게 다시 다가가 말했다. 얼굴이 작아지고 예뻐질 거니까 팩을 해보자고 했더니 흔쾌히 해본다고 했다. 신이 나서 마더 얼굴에 직접 머드팩을 해 드렸고, 함께 거울을 보며 깔깔 웃었던 모습이 너무나 생생하다.

그렇게 나는 홈스테이 가족들과 추억을 쌓아갔다. 강아지들과 산책하고, 가족들과 레스토랑에 가서 외식도 하고, 파더가 만들어 준 점심 도시락을 매일 맛있게 먹으며 도움을 많이 받았고 많은 사랑을 받았다. 사용하는 언어가 다를 뿐 다른 행성의 사람이 아니었다. 그러면서 외국인에 대한 경계심도 없어지고 긍정적인 사고들을 하게 되었다. 그때에도 영어를 잘하지는 못했지만 두려움이 없으니, 소통을 즐겼다.

어학연수가 끝날 때쯤이었다. 홈스테이 가족들을 초대해 모든 학생이 발표했는데, 프레젠테이션 발표 최우수자로 내가 뽑히게 됐다. 그때 느꼈다. 성공적인 경험은 자신감을 높여주고, 그것을 더 잘하게 하는구나. 하고 말이다. 지금 생각해 보면 영어가 왜 좋은지는 아직 확실히 잘 모르겠지만, 나 스스로가 동경했던 것, 멋져 보였던 것들을 내가 잘할 수 있게 되었기 때문이 아닐까 하고 생각해 본다.

나는 그저 영어를 좋아했고 즐겼고 그래서 공부했다. 그러다 보니 직업까지 연결이 되었다. 나는 지금도 우리 학생들이 그러한 재미를 찾을 수 있도록 도와주고 싶고, 영어에 대한 성공적인 경험과 즐거운 감정을 전달해 주고 싶다. 나로 인해 영어라는 과목이 재미있어지고, 더 공부하고 싶어지게 된다면 얼마나 행복할까? 지금도 나에게 영어를 배우는 학생이 " 영어가 제일 좋아요, 영어가 제일 자신 있어요! "라고 말하기도 한다. 그럴 때 나는 얼마나 큰 행복감을 느끼는지 모른다. 우리 학생들도 계속해서 영어를 좋아하고, 즐기고, 평생 공부할 수 있도록 내가 이끌 수 있기를 바란다.

햇병아리의 꾸준함

　오전에는 유치원 수업과 오후에는 초중고 학생들 과외를 했고, 때로는 학원에서 수업했다. 하루 24시간이 모자랄 정도로 정말로 바빴었다. 하루에 유치원 수업, 과외 수업을 평균대여섯 군데 이동하며 수업했고, 시간을 칼과 같이 지켜야 했기 때문에 식당에 가서 식사하는 것은 꿈을 꿀 수도 없었다. 이동 시간에 틈이 나면 편의점, 햄버거, 밥버거, 커피들로 차에서 끼니를 때우며 열심히 수업을 다녔다. 그렇게 10년을 살다 보니 몸이 견디지를 못했다. 그 10년 동안 많은 것들을 했다. 결혼도 하고, 아이를 낳았다. 원래 일 욕심이 많던 사람이라 일을 놓기가 쉽지 않았다. 그 와중에 또 공부에 빠지게 되었다. 남편이 없는 것도 아니고 아이가 없는 것도 아닌데, 내 입장만 생각했던 것 같다. 지금 생각하면 정말 이기적이었다. 그땐 젊어서 가능했을까? 나의 커리에 꼭 필요했던 공부였기 때문에 지금 아니면 할 수 없을 거라는 생각에 도전했다. 내가 하기로 한 공부는 1년 안에 3번의 시험을 쳐서 모두 합격해야 하는 시험이었기 때문에 일 년 만에 딱 끝내야 했다. 만약 중간에 떨어지기라도 하면 다시 그다음 해에 시험을 쳐야 했기 때문이다. 공부하겠다는 마음을 잡고 수업을 몇 개 정리했다. 저녁에 수업을 마치면 바로 독서실로 달려갔다. 신기하게도 독서실의 분위기가 나의 마음을 편안하게 만들었고, 혼자 공부하는 그 시간이 왜 그렇게 행복했는지 모른다. 공부를 마치고 바깥공기를 쐬 하고 쐴 때면 그렇게 상쾌하고 행복했다. 그렇게 일 년 동안 시험을 3번을 쳤고 정말 다행히도 시험에 합격했다.

　시험을 잘 쳐야 했기 때문에 많은 학습법들을 찾아봤다. 책과 유튜브를 통해 공부 잘하는 비법, 암기 잘하는 방법, 시간 관리 방법, 과목별 공부 방법 등을 알아보고 스스로 적용해서 학습 효율을 높였다. 그래서 효율적인 학습법이 얼마나 중요한지 확인하게 되었다.

시험에는 합격했지만, 경주마처럼 앞만 보고 달리다 보니 건강이 너무나 나빠졌다. 몸이 피곤하다 보니 퉁퉁 붓는 거처럼 느껴졌고 어깨가 무너질 듯 아팠다. 살이 찌는 체질이 아니었는데 그런 체질로 바뀌었다. 이렇게 살면 안 될 것 같은 생각에 일을 줄이기 시작했고, 조금 더 여유로운 삶을 살기 위해 힘을 뺐다. 신기하게도 몸에 힘을 빼니 생각을 많이 하게 됐다.

어느 날 중학생 친구 집으로 과외를 하러 갔는데, 어떻게 하면 좀 더 효율적으로 공부를 시킬 수 있을까? 라는 생각을 하게 됐다. 시험 대비를 위해 함께 공부했지만, 단 주 2회의 수업으로 완벽하게 시험 대비를 하기에는 그 학생 스스로 해야 할 것이 많았다.

학생을 돕기 위해 그때 처음으로 학습 툴(Learning Tool)을 찾아봐야겠다고 생각했고, 열심히 알아봤다. 나에게 정말 신세계였다. 영어학습을 도와주는 프로그램이 이렇게 다양하게 존재하는지도 몰랐다. 그러면서 알게 된 학습 툴들이 나를 또 한 번 공부하게 했다. 그 수많은 프랜차이즈와 학습 툴들을 알아보면서 내가 이런 시스템을 잘 갖춰서 공부방을 하게 되면 학생들이 좀 더 쉽고, 효율적으로 학습할 수 있겠다는 생각이 들었다. 자신이 있었다. 학생들이 효율적으로 학습할 수 있는 공간, 학원과 과외의 장점만 가지고 있는 공간을 만들 수 있다고 자신했다. 나는 그렇게 또 도전한다.

첫 시작은 소수정예 공부방이어야 한다고 생각했다. 과외를 하는 많은 학생들의 이유는 대부분 학원에서 진도를 따라가지 못해 힘들어했기 때문이다. 본인의 학습 스타일이나 역량이 그 그룹과 맞지 않았거나, 학생 스스로가 과제를 열심히 하지 않았거나 집중력이 떨어졌거나 아니면 또 다른 이유가 있을 것이다. 과외를 오래 하다 보니 개별 맞춤 수업이 나에게는 잘 맞았다. 어떤 학생은

100을 가르쳐 주면 100개를 다 알지만, 어떤 학생은 100을 가르쳤을 때 50밖에 받아들이지 못하는 그릇을 가진 아이가 있다. 나는 그런 아이들이 안타까웠다. 삐약삐약 우는 햇병아리처럼 느껴졌다. 스스로가 공부하는 방법을 모르고, 공부를 왜 해야 하는지조차 모르는 아이들. 햇병아리들의 우는소리가 커질 때면 나는 더 열정적으로 가르쳤다. 모르면 모른다고 말하고 배우고 싶어 질문하는 그런 아이들에게 측은지심을 느꼈고 나는 그들을 어미 닭처럼 보듬었다.

공부방을 해야겠다는 마음의 방향은 잡았지만, 무엇부터 해야 할지 몰랐다. 왜냐하면 영어를 가르치는 것은 그동안 해 왔던 것이기 때문에 잘할 수 있지만, 공부방을 운영해야 한다고 생각하니 운영 방식, 커리큘럼, 환경, 학습 툴 사용법을 배워야 했다. 그때 내가 삐약삐약 샛노란 햇병아리처럼 느껴졌다. 우리 집 앞에는 초등학교 2개 중학교 2개 고등학교 2개 총 6개의 학교가 모여있다. 그래서 영어학원도 매우 많다. 그 많은 학원 중 내가 과연 성공할 수 있을까? 굉장히 걱정스러웠다. 그 커다란 학원들에 비하면 나는 몽당연필처럼 느껴졌다. 나는 다른 학원과의 차별화된 모습이 필요했다. 나는 그 많은 학습 툴을 알아보던 중 마음에 쏙 드는 것들을 발견했고, 그 시스템을 배우기 위해 많은 공부를 했고. 배웠다. 모르면 배워야 한다. 블로그도 하는 법을 배우고 열심히 꾸준히 썼다. 다른 원장님들의 수업 노하우와 공부방 운영 방식들을 많이 배웠다.

과외를 하면서 느꼈던 장단점들, 학원 생활을 하면서 느꼈던 장단점을 하나씩 하나씩 보완한 완벽한 나만의 공부방을 만들기 위해 이 일을 시작했다. 완벽주의자는 아니지만 해야 할 것은 해야 하고, 아닌 것은 바꾸고 고쳐야 한다고 생각하는 사람이다. 공부방이라는 시스템을 체계적으로 잘 운영하기 위해 나도 학생도 효율적인 학습 시스템이 있는 환경을 만들어야 했다. 역시나 사람은 배위야 한다. 알고 나면 보이는 것이 너무나 많다. 새로운 도전을 망설이지 않아야 한다. 나는 그렇게 열심히 배웠던 것들을 나의 공부방에 알맞도록 적용했고 드디어 공부방을 오픈했다. 여러 가지 시행착오들을 겪고 또 변화시키면서 나는 지금도 계속 발전하고 있다. 불과 일 년 만에 정말 햇병아리였던 내가 이제는 존재감을 드러내고 다른 원장님들을 도와드리기도 한다. 지금은 어미 닭까지는 아니지만 날개를 퍼덕일 정도는 됐다.

학생들에게 항상 하는 말이다. 모르는 건 배우면 돼. 알 때까지 하는 거야. 대신 포기하지 마, 꾸준해야 한단다. 그렇게 말하는 선생님도 꾸준히 무언가를 해야겠지? 그래서 나도 꾸준하게 무언가를 한다. 나는 우선 무언가를 배우는 것을 계속했다. 유치원에 수업을 다니면서 TESOL 자격증, 어린이 영어지도사 자격증을 따면서 어떻게 하면 아이들을 즐겁게 해 줄까를 연구하며 다양한 게임 방법을 많이 연구했고, 교구도 아주 많이 만들었다. 첫째, 둘째를 낳고 육아휴직을 했을 때도 영어의 끈을 놓지 않으려고 했다. 전화영어, 화상영어라도 꾸준히 하려고 노력했다. 나는 지금도 영어를 배운다. 왜냐하면 언어이기 때문에 사용하지 않거나, 공부하지 않으면 계속 잊는 것으로 생각한다. 나는 타고난 언어 천재도 아닐뿐더러 스스로가 나의 부족함을 알기에 내가 공부해야 더 마음이 편하다. 지금은 수업 연구를 하면서 다양한 강사님들의 강의를 많이 듣기도 하고, 오프라인 원어민 회화모임에 나가서 함께 대화를 나누기도 한다. 최근에는 학생들에게 선생님도 무언가를 꾸준히 한다는 것을 보여주기 위해 그 어려운 릴스를 배워봤다. 일주일에 몇 번을 정한 후 인스타 릴스를 업로드하고 있다. 다양한 주제의 내용으로 글을 올리면서 나도 동기부여 받고, 동기부여를 주고 있으니 이 얼마나 행복한가.

포기하지 않고 무언가를 꾸준히 하는 선생님을 보고, 학생들도 꾸준히 공부했으면 좋겠다. '너희도 지금은 삐악삐악 햇병아리지만 언젠가는 꼬끼오하는 어른 닭이 되어 있을 거야'라고 말해주고 싶다.

페이스 메이커

가슴이 두근거린다 전화가 올 때가 됐는데 전화가 안 온다 전화를 걸어볼까 계속해서 핸드폰을 켰다 닫았다 몇 번을 했는지 모른다. 혹시나 내가 바라는 그 말을 듣지 못하면 어떡하지? 띠리리리리링 전화가 온다. 빠르게 초록색 동그라미를 휘갈기며 전화를 받았더니, "선생님 저 일 등급 받았어요!"라고 말한다. 그토록 기다렸던 말이었기에 나도 모르게 그 순간 눈물이 핑 돈다. "축하해! 네가 노력한 만큼 좋은 결과가 나와 선생님이 너무 행복하다." "선생님 감사합니다~" 이 얼마나 행복하고 뿌듯한지.

학생과 함께 마라톤을 뛰어 결승전에 들어온 기분이다. 나는 학생들의 페이스메이커(pacemaker)다.

너희도 이 선생님의 마음을 아는지 모르는지 모르겠다. 혹시나 수업 중에 배가 고파 꼬르륵 소리가 날까 조마조마해 가며 공부하는 건 아닌지, 핫도그, 초코파이 하나 툭 놓고 간단다. 또 부처님, 하느님, 달님, 별님 가릴 것 없이 우리 학생들 성적 잘 나오게 해달라고 항상 소원 비는 거 아니? 모르니? 이렇게 선생과 학생이 발맞추어 이인삼각을 한다는 기분으로 수업을 이끌어 가고 페이스를 조절하는 코치 같은 역할을 한다. 학생들이 시험 기간에 들어서면 나도 같은 수험생이 된 것 같다. 이 세상에 영어를 잘하게 되는 마법의 물약이 있는 건 아닌지 학생들을 위해 많이 찾아본다. 학생들에게는 맞춤형 선생이 되고 싶다. 우리 선생님만큼은 내가 믿고 잘 따라갈 수 있을 것 같다는 믿음을 주고 싶다. 나는 당근과 채찍을 든 페이스 메이커다.

나는 또 다른 의미의 페이스 메이커다. 나는 학생들의 얼굴을 웃는 얼굴로 만들어 주는 페이스메이커(facemaker)다. 아이들을 웃게 해 주면 내 기분도 좋아진다. 학생들이 씨익 하고 미소를 띠면 나의 유머가 통했구먼. 하고 기쁘다. 나는 전생에 개그맨이었을까 교육자였을까 잠시 생각해 본다. 학생들은 엄마의 잔소리 선생님들의 호통, 친구와의 불안한 관계들 속에서 기가 죽고, 자신감이 떨어진다. 그러한 아이들을 많이 봐왔다. 진심은 통한다. 나의 마음이 그들의 마음에 닿아 연결된다면 그들 또한 나에게 진심으로 대하고, 자신의 마음마저 터놓는다. 나는 가기 싫은 영어학원 말고 가고 싶은 영어학원이었으면 좋겠다. 그래서인지 학생들은 우리 학원에 오면 딱히 재미있는 게임을 하지 않아도, 학원이 재미있다고 표현한다. 그 방법은 정말 간단하다.

학생들의 표정을 관찰하고 마음에 공감해 주면 그냥 아이들은 속마음을 내놓는다. "무슨 땀을 이렇게 흘렸어? 이 겨울에~"라고 하면 "오늘 다른 반이랑 피구를 했는데 우리 반이 이기고, 제가 MVP로 뽑혔어요."라고 아주 자랑 자랑을 한다. 그럴 때 선생님이 "그래 알았다. 숙제 꺼내고 얼른 앉아라. 공부 시작하자!" 하기보다는, 단 1분이라도 그 학생과 눈을 마주치고 밝은 목소리로 "오~ 멋진데! 너무 축하해! 그래서 기분이 좋구나. 오늘 공부도 잘되겠네!"라고 한다면 피식하고 웃는다. 그럼 나는 또 행복하다.

학원에는 성격이 다양한 친구들이 모인다. 소심한 아이, 친구가 많이 없는 아이, 자신감이 부족한 아이 등등 그러한 친구들에게 맞춤형 웃음을 주면 그 아이들의 마음이 활짝 열린다. "오늘 네가 입고 온 털 옷, 너무 잘 어울린다. 너도 양처럼 귀엽네."라고 하면 별로 특별한 말은 아니지만 그냥 그 칭찬을 들은 학생은 기분이 좋아진다. 특히 하원하는 시간에 잠깐이라도 현관에 나가 인사를 하면서 "오늘 서준이가 아까 책 읽을 때 외국에 살다 온 사람인 줄 알았어. 다음에도 기대할게!"라고 하면 진짜로 그런 줄 알고 너무나 좋아한다. 단지 학생을 웃겨 준다는 것이 아니라, 다양한 일들로 딱딱해진 마음과 날카로운 표정들을 나의 따뜻한 시선과 관심으로 그 마음이 사르르 녹는다면 그 무시무시한 사춘기 아이들도, 그 소심하고 무뚝뚝한 아이들도 어느샌가 나에게 쪼르르 달려와 쫑알쫑알 이야기하게 된다.

공감과 관심을 받으면 누구나 좋아한다. 나는 학생들이 영어학원에 와서는 기분 좋은 감정을 많이 느끼고 갔으면 한다. 그렇지만 항상 좋은 선생님일 수는 없다. 권위는 있으면서 쉽지 않은 선생님이어야 한다. 만약 선생님을 화나게 하면 차가운 선생님을 만날 수 있기 때문에 우리 학생들도 적당한 선을 알고 잘 지킨다.

지우개는 연필 편

쓱쓱쓱 연필 소리가 좋다. 어릴 때는 어른들이 볼펜으로 글자를 쓰는 모습이 그렇게 멋있어 보였다. 이제는 연필로 쓱쓱 글자를 쓰는 소리가 왜 이렇게 듣기 좋을까? 내가 어른이 되었나 보다. 썼다가 잘못 쓰면 지우개로 지우면 된다. 지우개로 지워도 글자 자국은 남아서 틀렸던 것이 완전히 없어지진 않지만, 다른 글자로 더 멋지게 정답을 쓰면 된다. 지우개가 있어서 너무나 다행이다. 나의 실수들도 그렇게 썼다 지우면 없어졌으면 좋겠다. 우리 인생은 그런 실수들이 수도 없이 많이 반복된다. 실수를 걱정하고 두려워하지 말자. 그 누구도 처음부터 완벽한 사람이 없으니까. 우리는 예쁜 글씨로 멋진 답을 또 써 내려가면 되는 것이다. 왜냐하면 지우개라는 내 편이 있으니까. 나의 실수에 대한 기억들도 지우개로 지운 것처럼 언젠가는 희미해지니까.

성공한 사람들은 말한다. 두려워하지 말고 도전하라고. 될 수 있으면 실패를 많이 하라고.

최근 나는 두려웠지만 도전했던 일이 있다. 나는 20대 초중반까지도 외국인과 교류하는 시간을 많이 가졌다. 영어로 말하는 것에 대해 실수하고 틀리기도 했지만 두렵지는 않았다. 원어민과 대화해보기 위해서 내가 하고자 한 말들을 문장으로 만들어 보려고 노력했고, 매일 그것을 적었다. 연습한 것들이 저절로 나올 때까지 나는 계속해서 연습했다. 그리고 하면 할수록 나 스스로가 대견하고 신기했다.

정말 신기하게도 언어는 사용하지 않고, 공부하지 않으면 잊게 된다. 결혼하고 아이들을 키우면서 원어민과 소통할 기회를 만들기가 어려워지면서 스스로 자신감이 떨어지고 실수에 대한 두려움을 느끼게 됐다.

최근 다시 원어민과 하는 오프라인 회화 모임에 참석하고 있다. 오랜 공백이 있었기에 실수할까 봐 걱정이 앞섰다. 하지만 그 두려움을 이겨내고 실수를 두려워하지 않기로 했다. 나에게 그 소중한 도전과 경험이 얼마나 행복한 일인지 모른다. 그 모임에 나갈 때면 나의 가슴은 쿵쾅 거린다. 설렘과 두려움으로. 하지만 나는 실수할 수 있다는 것을 인정하고, 두려움을 이겨낼 것이다. 지우개처럼 나의 편이 되어준 사람들이 있으니, 실수하고 배우면서 그렇게 살아 나갈 것이다.

학생 중에는 실수를 두려워해서 영어를 한마디도 내뱉지 못하는 학생이 있다. 스피킹 시간에는 개미 같은 목소리로 누군가 들을까 싶어 지레 겁먹고 소리를 내지 못한다. 또는 꼭 100점을 받아야만 하는 완벽주의적 성향을 가진 학생도 대담하게 영어를 내뱉지 못한다. 또는 스펠링을 잘 못 적을까 실수할까 봐 걱정되어서 종이에

답을 쓰지도 못하는 경우가 있다. 학생들은 새로운 문제를 매번 경험한다. 처음 보는 문제를 풀어내다 보면 실수하기도 한다.

나는 지우개 선생으로 틀린 답을 지워주고 올바른 답을 적을 수 있도록 깨끗한 길을 만들어 준다. 그렇게 학생과 선생은 연필과 지우개처럼 한 세트로 움직여야 한다. 틀려도 된다고 실수해도 된다고 알려주면서 올바른 정답을 찾아낼 수 있도록 지우개로 깨끗한 길을 만들어 준다.

그때의 끈기로

유명한 영어 강사님들, 일타 강사들이 영어 공부하는 방법을 너무나 잘 가르쳐 주신다. 요즘 앱으로도 영어를 학습할 수 있고, 유튜브, 인터넷강의 뭐든 다 좋다. 그런데 중요한 건 그 수많은 영어 공부 방법 중 나와 맞는 방법을 잘 찾아내는 것이 중요하다. 그리고 그 방법을 찾았다면 그 방법대로 꾸준히 1년만 딱 눈감고 해 보는 것이다.

학생 중에는 영어뿐만이 아니라 공부라는 것 자체의 방법을 모르거나, 인지적인 부분이 부족하거나 또는 동기가 부족해서 공부를 잘하지 못하는 경우가 많다. 스스로 공부를 잘하고는 싶은데 제대로 공부라는 것을 해 보지 않았기 때문에, 마음만 앞서 효율적으로 행동하지 못하는 학생들도 있다. 너무나 안타깝다.

그런 학생들을 보면 어릴 때의 나 자신 같아서 너무 마음이 아프다. 나는 중학생 1, 2학년 때는 학교 필드하키부 대표 선수로 활동했다. 매일 아침 일찍 학교에 가서 오전 운동을 했고, 운동 후 씻고 학교로 들어가면 3교시가 되었다. 점심 먹고 오후수업 마치면 또 운동하러 운동장에 갔다. 그렇게 저녁까지 운동하고 집으로 돌아가는 생활을 무려 2년 동안 한 것이다. 그뿐만이 아니라 전지 훈련도 갔다. 다른 지역에 가서 그 지역의 학생들과 함께 시합하고, 함께 훈련도 받았다. 그러다 보니 학교 수업을 빠지기 일쑤였고, 공부의 공백은 커져만 갔다.

너무나 재밌게도, 수업을 다 듣지 못했지만 항상 중상위권을 유지했다. 운동선수지만 공부를 못한다는 편견을 없애고 싶었다. 운동을 마치고 집에 오면, 어떻게 하면 운동을 더 잘할까를 생각하는 것이 아니고, 어떻게 하면 공부를 잘할 수 있을까를 생각했다. 중3 때 처음으로 공부할 때 행복하다는 것을 알고서는 운동을 그만뒀다.

사실 운동 생활은 정말 힘들었다. 내가 스스로 운동을 선택했고, 해야 했던 이유가 있었기 때문에 그때는 포기할 수 없었다. 운동을 하면서 배운 것도 아주 많다. 하기 싫은 일도, 잘할 수 없는 것도 계속해서 해야만 했다. 그런데 신기하게도 하기 싫다는 마음을 고쳐먹고 어차피 해야 한다는 마음으로 즐겁게 하니, 발전이 있었다. 매일 매일 달리기를 하면서 속도가 점점 늘었고, 운동장 10바퀴를 뛰면 쓰러질 듯 숨이 찼지만 매일 매일 하다 보니 그 정도는 살 만했다. 그때 내가 운동을 통해 배운 건 끈기였다.

운동을 그만두고 중학교 3학년 때, 일 년 동안 열심히 공부해서 인문계 고등학교에 갈 수 있었고, 이를 기특하게 본 선생님들께서 상을 주셨다. 전교생이 보는 앞에서 처음으로 상도 받아봤다. 그때의 나는 공부하는 방법을 모르고 무작정 열심히만 했던 것 같다. 라떼는 유튜브도 없었고, 나에게 있어 공부할 수 있는 곳은 오직 학교였다.

그 후, 성인이 되어서 자격증들과 시험에 계속 해서 도전을 하면서 꾸준히 공부하는 방법에 관심을 가졌고, 원장님들 모임을 통해서 학습코칭을 알게 되면서 또 내가 공부하고 싶은 분야가 생기게 되었다. 우리 학생들은 내가 학생 때 겪었던 시행착오를 겪지 않도록 그 어떤 마법의 비밀을 알려 주고 싶다.

　이런 학생이 있었다. 서술형 영어 문제가 나오면 무조건 별표를 하고, 풀 생각이 전혀 없는 학생이었다. 이 학생은 문제를 푸는 요령이 없었고, 출제자의 의도를 파악하는 것에 굉장히 어려움을 느끼고 있었다. 나는 이 학생을 위해 노트를 하나 준비했고, 문제를 써 내려갔다. 이 문제를 풀기 위해서는 단계별로 어떤 방식으로 풀면 되는지 말하면서 빈칸을 만들었다. 학생이 잘 들었는지 확인하기 위해 선생님이 말한 대로 빈칸에 답을 채워 보라고 했고, 그 마지막 부분에 완성된 답을 적도록 했다. 이렇게 여러 유형의 서술형 문제를 반복해서 학생만의 노트를 만들었더니 학생이 말한다. "선생님 이렇게 하나씩 단계별로 써 내려가면서 설명해 주시니까 이해가 너무 잘 돼요."라고 말이다. 이 친구는 서술형을 어떻게 풀어야 하는지 몰랐다. 그냥 말로만 설명해 주는 것보다 노트에 단계별로 적어서 알려주는 것이 이 학생에게 이해가 잘 되는 방법이었다. 이 친구는 그런 후에도 그 노트를 계속해서 확인해 가며, 스스로 서술형 문제를 풀 때 적용하면서 문제를 푼다. 그 단계가 머릿속에 자연스럽게 그려질 때까지 반복했고, 1년 2년이 지난 오늘날에는 서술형 문제도 두려움 없이 너무나 잘 풀게 되었다. 물론 몇 년 동안 문법과 어휘 구문분석까지 계속해서 배웠기 때문에 서술형이 조금 더 쉽게 풀리는 것일 수도 있다. 그러나 자신의 취약한 부분을 애써 따로 꼼꼼히 설명해 주니 이 학생도 얼마나 기분이 좋았을까, 자신도 잘 해내고 싶었을 것이다.

　어떤 학생은 다른 영어 학원에서 수업을 따라가기 힘들 정도로 영어가 어려웠다고 한다. 이 학생은 영어가 싫어졌다. 그래서 우리 공부방에 처음 왔을 때도 마음 한편으로는 정말로 공부방에 가기가 싫었다고 한다. 엄마가 등록하는 바람에 끌려 온 것이다. 나는 그 학생이 고1이었음에도 불구하고, 중1 교재를 구매했다. 물론 학교에서 배우는 내용도 따라갈 수 있도록 지도하면서, 그 학생의 구멍을 채워주기 위해 중1 교재를 구매했다. 그 학생은 영어의 영자도 모르는 베이스가 너무나 없는 친구였기 때문이다. 그런데도 중학교 교재로 공부한다는 것에 자존심이 상할 수도 있지만, 선생님이 이끄는 대로 잘 따라와 줬다. 그 학생의 플래너를 작성해 주면, 오늘의 할 것을 모두 다 하고 갈 수 있도록 약속했고, 항상 타이머로 시간을 재면서 과제를 하나씩 해결해 나갈 때마다 체크리스트 네모 속에 알록달록 색칠했다. 그렇게 게임을 하듯 하나씩 공부해 나가면서 작은 성공과 성취감을 느끼기 시작하더니 어느새 영어가 쉽게 느껴지고, 자신감이 붙었다. 자신의 크기와 맞지 않는 옷이라면 누구나 불편하고 입기가 싫다. 이처럼 자신의 수준과 맞는 것, 적당한 양의 과제를 줘야 능률이 오르고, 하고 싶은 공부가 된다.

영어 공부를 잘하는 비법은 그 수많은 학습서와 학습법 중 나의 수준에 잘 맞고, 내가 잘 해낼 수 있는 것을 선택해서 꾸준히 하는 것이다. 무엇이든 하루, 이틀, 한 달 공부한다고 다 잘할 수는 없다. 제일 중요한 비법은 끈기와 꾸준함이다.

행운의 장소

성인이 되면서 불확실한 미래와 불안한 마음으로 학교 도서관을 열심히 다녔다. 틈틈이 서점에 가서도 자기 계발서, 에세이, 마음을 어루만져주는 책들을 많이 읽었다. 꼭 한 달에 한 권은 열심히 아르바이트해서 책을 샀다. 그때는 내 인생에서 내가 어떤 사람으로 살아야 하고 어떤 직업을 가져야 하고 나를 어떻게 만들어 나갈지에 대한 고민을 많이 했다. 나는 도서관, 서점을 다니며 그 책의 내용을 내 생각과 내면을 아름답게 꾸미는 것에 집중했다. '나도 이런 마인드를 가진 사람이 되어야지'하고 다짐하거나 잘못된 행동은 고칠 수 있도록 메모했다. 책을 읽으며 나 스스로를 위로도 했다가 사랑도 했다가 미워도 했었다. 옛날 옛적 20살의 나를 떠올리니 나도 정말 열심히 살았구나 싶다. 서점과 도서관은 그렇게 나를 변화시켰다.

또 내 인생에서 가장 중요한 순간이 벌어진 곳도 서점이다. 바로 지금 내 인생에서 가장 사랑하는 나의 신랑을 다시 만난 곳이었다. 사실 신랑과 연애할 때도 서점에 많이 갔다. 신간 구경도 하고 책을 읽으며 시간을 보내기도 하며 함께 자주 가던 서점이 있었다. 잠시 헤어진 적이 있었지만, 우연히 자주 갔었던 그 서점에서 다시 만난 것이다. 그때는 그게 운명이라고 생각했다. (영화를 많이 봤나 보다.) 내 옆에 있는 나의 유일한 인생의 단짝이자 나와 많이 닮아있는 내 인생의 지우개를 만난 것이다.

요즘도 나는 서점이나 도서관을 그렇게 자주 간다. 지금은 도서관, 서점에 가서 현재 인기 있는 영어교육, 요즘 영어의 트렌드를 확인한다. 그래서 다양한 영어교재, 문제집들을 보면서 내가 잘 가르칠 수 있고, 학생들이 좀 더 쉽게 영어를 배울 수 있는 교재는 무엇일까 살펴본다. 좋은 책들을 선정해서 효율적으로 학습할 수 있도록 하는 것을 좋아한다. 현재 내 공부방은 개별커리큘럼으로 수업을 진행하기 때문에 더욱더 학생들에게 맞춘 교재를 선정하는 것이 중요하다고 판단했다. 학생들마다의 수준에 따라 교재를 선정하기도 한다. 전체적인 문법을 한 번 훑어주는 얇은 교재가 맞는 친구가 있고, 개념설명이 있고 연습문제가 많은 교재가 맞는 친구가 있다.

학생들에게도 문제집이 많은 서점에 가서 구경해 보라고 이야기하는 편이다. 서점에 가서 문제집들을 살펴보면서 공부하고 싶은 교재가 있다면 사서 풀어 보거나, 읽고 싶은 책이 있다면 하나씩 꼭 읽어보라고 말이다. 그렇게 말했더니 실천하는 학생들이 있었다. 나름 그 학생은 메타인지가 잘 되어 있는 학생이라 스스로 필요한 부분과 부족한 부분이 무엇인지 잘 알고 있었고, 자신에게 맞춤형 교재를 나에게 제안했다. "선생님, 이 교재가 제가 잘 모르는 부분과 아는 부분이 섞여 있어서 복습도 되고 예습도 될 것 같아요, 빈칸 추론 문제, 함축된 의미를 묻는 문제가 많아서 풀어 보고 싶어요. 이 문제집 어때요?" 하고 연락이 온다. 그러면 나도 그 교재를 살펴보고 학생과 맞춤 수업을 할 수 있도록 자료를 찾고, 교재연구를 하고 함께 그 교재를 공부해 나간다. 나는 이런 것들이 너무 좋다. 학생이 스스로 자신이 공부해야 할 방향과 방법을 알고 스스로 행동으로 증명해 준다는 것이 너무나 감사하고 행복하다.

이뿐만이 아니라 책이 주는 에너지는 무궁무진하다. 마음을 치유하기도 하고, 스트레스를 날려주기도 하고, 나를 탐색하고 탐험하는 시간을 가지는 사색의 시간을 주기도 한다. 책이 주는 소중한 경험을 해 봤기에 학생들에게도 꾸준히 책을 읽을 수 있도록 하는 편이다. 영어를 가르치는 곳이지만 인생을 좀 더 잘 살아갈 수 있도록 인도하는 안내자가 되고 싶은 마음도 굴뚝 같다. 나의 삶도 책의 등불을 따라 잘 따라가 보려 한다.

학생들은 자랄수록 다른 사람의 의견보다 자기 생각으로 행동한다. '공부해라 공부해라'라는 잔소리는 아무런 효과가 없다. 스스로 해야 할 것을 찾아 공부하게 만드는 것, 내적인 동기를 불러일으켜 목표를 가지고 학습하게 하는 것, 부족한 부분을 찾아서 채워줄 수 있는 것 이런 도움을 줄 수 있는 것은 부모님도 아니고 선생님이 할 수 있는 일이다. 나의 교육철학은 학생들을 스스로 공부할 수 있게 변화시키는 것이다. 잔소리 때문이 아니고, 선생님이 무서워서도 아니고, 부모님의 잔소리 때문이 아니고, 자신의 성공적인 경험을 느끼기 위해, 스스로가 발전된 사람이 되기 위해 동기를 가지고 무엇이든 해낼 수 있는 학생이 되길 바란다. 학생들의 행운의 장소는 나의 공부방이기를 바란다.

넌 감동이었어

사람은 잘 변하지 않는다. 사람의 뇌는 화석화되기 때문이다. 사람은 스스로가 변화의 필요성을 느끼면 변화할 수 있다. 나는 학생들이 나로 인해 변화할 때 너무나 행복하고 신기하다.

우리 수지는 6학년 때 영어를 처음 배웠다. 물론 학교에서 배웠지만 사교육은 6학년 때가 처음이었다. 영어가 너무나 어려웠던 수지는 알파벳과 파닉스부터 차근차근 하나씩 배우기 시작했고, 재미를 느끼기 시작했다. 원래 수지는 영어뿐만이 아니라 공부라는 것에 관심이 없었고, 집중력도 매우 낮은 학생이었다. 그렇게 수지는 4개월이 흘러 중학교 영어책을 읽을 수 있고, 해석이 가능하게 되었다. 하지만 약속한 과제를 해내지 못할 때가 많았기 때문에 실력이 빠르게 향상되지는 않았다. 그런데도 나는 계속해서 수지와 과제를 수행하는 방법에 관해 이야기를 나눴고, 약속도 하고 상과 벌을 교차로 적용하면서 학습코칭을 했다. 그렇게 수지는 중학교 2학년이 되었다. 학교에서 전국 영어 듣기평가를 쳤는데 95점을 받았다. 수지 인생 처음으로 영어점수가 95점이 나온 것이다. 그때 수지는 굉장한 성취감을 느꼈다고 한다.

이때부터였다. 수지는 '나도 하면 할 수 있다'라는 자신감이 생겼고, 그 후 영어를 열심히 공부하게 된다. 물론 과제를 안 해오거나 노는 일로 수업을 빠지기도 했다. 하지만 가장 중요한 건 스스로가 제일 좋아하는 과목이 영어라고 말한다는 것이다. 그리고 이제 제일 자신이 있는 과목도 영어라고 말한다. 이러한 마음가짐과 선택적 집중력을 가지고 학습했을 때 얼마나 좋은 효과가 나타날까. 2학년 2학기 기말고사를 치르고 전화가 왔다. "선생님 교과서 본문을 조금만 더 열심히 봤더라면 두 문제를 더 맞힐 수 있었는데, 정말 아쉬워요." 이 말을 학생이 스스로 내뱉는다. 6학년 때 알파벳을 배우던 아이가, 책보다는 거울을 더 많이 보던 아이가 이렇게 바뀌었다.

스스로 피드백하고, 앞으로 나아갈 방향까지 알고 있는 자기성찰의 단계까지 왔다니…. 앞으로의 발전은 무궁무진하다. 지금 당장 100점 받는 것이 중요한 게 아니라 100점을 받은 효율적인 학습 방법을 확인하고 앞으로의 학습 방향까지 고안해 내는 것이 중요하다. 앞으로 100점이 아닌 1,000점도 10,000점도 받을 수 있다. 수지야, 넌 내게 감동이야.

우리 승주는 7살 때 처음 만났다. 유치원에서 특별활동강사로 일할 때 똑 부러지는 승주를 보고 "어쩜 저렇게 똑 부러지는 아이가 있을까?" 하고 귀여워했다. 그런데 승주는 8살이 되면 나를 만나지 못하게 된다는 걸 알고, 엄마에게 부탁한다. 소피 선생님께 영어를 배우니까 영어가 쉽다고. 이를 알게 된 승주의 어머님과 나는 인연이 되었고, 나는 승주 집으로 영어를 가르쳐주러 가게 된다. 승주는 나와 그렇게 3년을 만났다. 승주는 무엇이든 잘하는 그리고 잘하고 싶어 하는 아이였다. 그래서 알려주는 것은 스펀지처럼 흡수하고, 과제도 매우 잘 해냈다. 승주에게 칭찬은 오히려 독이 되기도 했다. 왜냐하면 스스로가 잘한다는 것을 너무나도 잘 알기 때문이다. 적당한 칭찬과 적당한 밀당으로 하지 못하는 부분을 잘할 수 있게끔 이끌었다. 승주에게 원어민 화상수업을 추천했고, 지금도 꾸준히 하고 있다. 학생으로부터 배운다. 꾸준히 하면 잘하게 되고 잘하게 되면 즐기게 된다는 것을. 영어공부방과 30분 거리에 살지만, 일주일에 몇 번이나 차를 타고 공부하러 온다. 지금도 승주는 소피 선생님은 영어를 쉽게, 잘 가르쳐 준다고 말한다. 승주야, 넌 내게 감동이야.

우리 서준이는 말한다. "학교 숙제를 안 해가서 청소하고 왔어요" 그럼 나는 말한다. "영어 숙제도 안 했니?" 그러면 서준이가 말한다. "영어 숙제는 했죠~." 나는 피식 웃는다. 서준이는 예전에 다녔던 영어학원에서 아주 장난꾸러기였다고 한다. 학원에 가기가 싫어서 놀이터에서 놀고 있으면, 학원 선생님이 놀이터로 서준이를 데리러 오기도 했다고 한다. 그렇게 학원 가기를 싫어하던 친구가 우리 공부방에는 학교 마치자마자 뛰어온다. 일찍 오면 나와 단둘이 있을 수 있는 시간이 좀 더 길어진다는 것을 안다. 초등학교 6학년인 사춘기 남학생이 이럴 수가 있는가? 둘이 있을 때는 편하게 장난스러운 이야기도 나눌 수 있고, 문제도 같이 풀 수 있는 시간이 길어지니 선생님과 함께이고 싶은 거 같다. 서준이는 꽤 영어에 자신감이 있다. 처음에 레벨테스트를 왔을 때는 긴장해서였는지 점수가 형편없었지만, 지금은 학습에 속도가 붙어서 나름 나만의 로드맵대로 잘 따라와 주고 있다. 틀리는 것을 싫어하는 완벽주의적인 성향도 있고 문제를 끝까지 풀어내려는 근성과 인내심도 가지고 있다. 이러한 친구들은 틀려도 된다는 격려가 필요할 때도 있고, 틀렸을 때 원인에 대해 함께 이야기를 나누는 피드백을 주면 금방 행동수정이 된다. 서준아, 넌 내게 감동이었어.

민호는 자기 고집이 굉장히 있는 학생이다. 자신이 생각한 대로 학습하고, 그 방법이 틀렸다는 것을 몸소 느끼지 않는다면 절대로 그 방향을 바꾸지 않는 학생이었다. 나는 그 학생에게 마음의 문을 열 수 있도록 계속해서 두드렸다. 학생이 고집하던 방향을 존중해 주면서 그 결과에 대한 피드백을 함께 이야기하다 보니, 스스로가 느꼈다. 잘못된 방향으로 가고 있었구나, 스스로가 굉장히 나태했구나. 민호는 그걸 느끼자 나를 전적으로 믿기 시작했다. 내어주는 과제도 열심히 했고, 나름 다른 과목보다 영어를 열심히 했다고 스스로 자부했다. 시험을 치고는 민호는 울었다. 조금만 더 하면 이제 정말 진짜 영어를 잘할 수 있을 것 같다는 자신감 때문이었다고 한다. 그 이야기를 전해 듣고는 나도 눈물이 핑 돌았다. 그동안 혼자 잘 되지 않았던 공부가 얼마나 힘들었을지 가늠이 됐기 때문이다. 자신이 고집했던 학습의 방향과 방법이 잘 못 됐다는 것을 인지했고 방향을 바꿨다는 것, 그리고 그 감정을 고스란히 느끼고 스스로가 대견해서 눈물이 났다는 것, 너무나 고무적이었다. 민호야 넌 네게 감동이었어.

학생이 나를 믿어주는 만큼, 내가 하고자 하는 것을 잘 따라 주는 만큼 선생님은 감동한다. 나를 믿고 따라와 주는 나를 믿고 변화를 보여주는 아이들이 있음에 감사하다. 책임감을 가지고 좋은 방향으로 행동수정을 할 수 있는 선생이 되도록 항상 노력해야겠다고 다짐한다. 너희들 모두 내게 감동이었어.

노 후릭 슈팅

호수의 반짝이는 윤슬들, 짹짹짹 참새 소리, 어푸어푸 헤엄치는 아기 오리들, 우리 동네 큰 공원에 가면 매일 볼 수 있다. 헉헉 거친 숨소리 내며 운동하는 사람들, 스쳐 지나가는 사람들의 호주머니 속 라디오 소리가 들려온다. 그들은 각자 정해진 목표에 도달하기 위해 움직인다. 걷거나 뛰거나 음악을 듣거나 천천히 풍경을 감상하거나 각자 다른 방식으로. 천천히 또는 매우 빠르게 움직인다.

필드하키의 슈팅 동작, 포핸드 슈팅을 간단하게 후릭 이라고 말한다. 후릭은 스윙을 시도할 시간이 없어서 빠른 시간 내에 골대에 골을 넣는 슈팅 방법이다. 나의 중학생 시절에는 후릭을 참 잘했고 좋아했다. 성격이 급해서였는지 누가 따라올까 봐 겁이 났던 건지, 후릭이 재미있었다. 나의 성격을 잘 말해주는 거 같다. 불과 몇 년 전만 해도 나는 후릭이었다. 몸이 상하는지 모르고 일에만 몰두했었던 그때, 아이와 가정보다는 일이 우선이었던 그때, 몸과 마음은 돌보지 않고 바쁘게만 살았던 그때.

이제부터 나는 앞으로 노후릭이다. 나의 목표를 향해 천천히 갈 것이다. 지금 공부방을 운영하는 이 일도 천천히 그리고 오랫동안 하고 싶다. 가늘고 길게. 열심히는 하지만 몸과 마음을 돌보며, 시간에 쫓기지 않고 바빠서 놓치는 것 없이 해내고 싶다.

유명한 김미경 강사님은 이런 말씀을 하셨다. "빨리 가면 혼자 가지만 천천히 가면 함께 갈 수 있다"고.

요즘에는 내 나름 여유시간을 조금 가지려고 노력하고 있고, 운동과 사색의 시간을 가지려고 노력한다. 일하다 보면 속상한 일, 행복한 일, 감사한 일, 기분이 좋지 않은 일들이 생기게 마련이다. 그럴 때마다 나의 마음을 돌봐야 한다. 나의 감정을 담아 글을 써보거나, 책을 읽으며 나의 마음을 달래주다 보면 어느새 또 나는 원래의 내가 되어있다. 1인 원장으로 혼자 원을 운영하며 겪는 다양한 시행착오들, 고민을 혼자 해결해야 할 때가 많다. 나 자신을 잘 들여다보고 나의 마음을 잘 보살필 줄 알아야 다른 사람도 잘 보살필 수 있다. 우리 학생들이 공부방에 왔을 때 선생님의 그날의 감정에 따라 휘둘리지 않는 잔잔한 호수 같은 선생이어야 한다.

이 일을 하면서 나도 성장하고 있다는 것을 느낀다. 영어 원장님들은 잘해야 하는 것들이 너무나 많다. 당연히 영어도 잘해야 하고, 커리큘럼도 잘 짜야 하고, 교재도 잘 선정해야 하고, 동영상 편집도 잘해야 하고, 아이들과 소통도 잘해야 하고, 학부모님 상담은 물론이고, 학습 툴 사용법을 배워야 하고, 워드, 엑셀 작업도 잘해야 한다. 블로그도 해야 하고, 인스타도 해야 한다. 그러려면 글을 잘 써야 하고, 글을 잘 쓰기 위해서는 독서를 많이 해야 하고 다른 사람의 글을 많이 읽어야 한다. 내가 이렇게 많은 것들을 하고 있었단 말인가. 이전에는 공부방 운영이 이렇게 힘들 거라고, 이렇게 할 일이 많을 거라고 상상하지 못했다. 학생들을 잘 가르치기만 하면 된다고 생각했던 일이 이렇게 커지다니. 공부방을 운영하면서 발전한 나의 모습을 보면 스스로가 기특하다. 못하던걸, 하지 않았던 것들을 도전해 나가며 이루어 내고 있지 않은가. 이러한 작은 성공적인 경험들이 지금의 나를 만들었다.

나는 학생들도 이렇게 도전하기를 바란다. 무엇이든 본인이 원하는 바가 있다면 해보지 않은 일이라도, 잘할 수 없다고 생각하더라도 도전하기를 바란다. 천천히 하나씩 해내면서, 작은 성취감부터 성장하고 있다는 감정까지 느끼기를 바란다.

스스로 영어를 못한다고 생각하는 학생에게 하는 말이다.

"용진아 좋아하는 과목이 뭐야?"

"역사예요"

"그럼 그 과목은 어떻게 공부했니?"

"아마 두 달 전부터 시험 대비 공부했을걸요?"

"그래? 그럼, 영어는 그렇게 공부해 본 적 있니?"

"아니요…. 해 본 적 없어요"

"아마 영어도 두 달 전부터 시험 대비 공부하면 좋은 점수가 나올 것 같은데?"

"….^^ 그럴 거 같아요 선생님"

지레 겁먹고, 어렵고 못 하는 과목이라는 자기 생각 때문에 영어 공부를 하고 싶다는 의지조차 없다. 그런 학생일수록 학생에게 관심을 가지고 격려하고 도전해 보라고 용기를 준다면 학생도 변할 수 있다. "넌 영어 공부를 하지 않았기 때문에 못 하는 거야. 역사를 공부했던 거만큼만 그만큼 공부하면 좋은 성적 받을 수 있을 거야."라고 말해준다.

누구든 처음이 어렵지 일단 실행하고 나면 또 별일이 아니기도

하다. 처음 공부방 시스템을 배울 때처럼, 처음 블로그를 배웠던 때처럼, 처음 학부모 상담을 했을 때처럼, 그 경험이 무지 떨리고 한편으로는 설레어서 가슴이 뛰는 그런 경험들이 아직도 생생하다. 지금도 나는 성장하는 중이고 내년에는 더 많은 성장을 하는 사람이 되어야지 하고 다짐한다. 발전하는 선생이 있어야 발전하는 학생이 있을 것이다. 앞으로가 더더욱 기대되는 '나'이다.

담요처럼 포근하게

"후~"하고 불면 하얀 입김이 나오는 몹시 추운 겨울이다. 그런 날씨에도 아이들은 신이 나 공원을 뛰어다닌다. 가족과 함께 공원 나들이를 나온 것이 마냥 행복한가 보다. 저 멀리 달려갔다 다시 내게로 돌아오며 두 팔 벌려 날 안아준다. 나를 감싸 안으며 "엄마 많이 춥지? 내가 안아줄게"라고 한다. 그렇게 나에게 감동을 주고 또 저 멀리 달려간다.

또 지인과 통화를 하던 끝에 "항상 널 응원한다."라고, 말한다. 코끝이 찡해지는 감동. 내가 그 사람에게 어떤 존재이길래 나를 그렇게 응원해 줄까.

그뿐만 아니라 많은 학부모님께서 감동적인 멘트를 그렇게 보내주신다. "원장님 덕분입니다.", "우리 아이가 영어를 좋아하게 되었어요.", "우리 아이가 성적을 잘 받게 되었어요.", "원장님의 섬세한 관심과 사랑에 우리 아이가 많이 밝아졌어요.", "정말 낯을 많이 가리고 소심한 아이인데 원장님과 그런 대화를 한다고요? 믿을 수가 없어요." 그런 연락을 받으면 너무나 감사하고 또 보람 있다. 내가 지금 잘하고 있구나 하고 뿌듯하다.

　이렇게 누군가가 칭찬을 해주고 응원을 해주면 다 큰 어른인 나도 이렇게 기쁜데, 학생들은 얼마나 기분이 좋을까?

　그 감사함을 알기에 나도 나눌 수 있는 것 같다. 나도 누군가를 진심으로 응원하고, 용기를 주고 싶다. 그 대상은 당연히 우리 학생들이다. 응원한다는 말 어떻게 보면 그냥 쉽게 할 수 있는 말이지만, 듣는 사람은 코끝 찡하는 말이다. 그만큼 혼자 많은 고민과 많은 걱정으로 고군분투하고 있었으니 말이다. 우리 학생들의 마음을 따뜻한 담요로 보듬어 줄 수 있는 선생이 되고자 한다.

　데일 카네기는 말한다.

"Don't criticize, condemn and complain"
비판하거나, 비난하거나, 불평하지 말라.
"Give honest, sincere appreciation"
솔직하게, 진심으로 인정하고 칭찬하라.

　사실 많은 부모님들은 맞벌이로 몸과 마음이 바쁘다. 학생들은 부모님에게 칭찬을 듣기보다는 본인들이 해야 할 일들을 듣는 경우가 더 많다. 공부해라. 숙제해라. 씻어라. 휴대전화 좀 그만 봐라. 방 정리는 했니. 나도 학부모이기 때문에 학부모님들의 마음이 너무나 공감이 된다. 그런데 우리 학생들은 학교에서도 가정에서도 친구들 사이에서도 칭찬을 들을 일들이 많이 없다.

　칭찬과 응원의 힘은 위대하다. 학생들을 능동적으로 움직이게 한다. 자신감을 불러일으켜 주고 마음을 따뜻하게 한다. 스스로가 잘할 수 있다는 마음이 생겨야 행동으로 움직이더라. 학생들이 나의 칭찬과 응원을 먹고 자라서 영어 실력도 쑥쑥 크기를. 마음도 쑥쑥 크기를. 그 칭찬과 응원을 다른 사람에게도 나눠줄 수 있는 학생들이 되기를. 그것이 나비효과를 일으켜 또 다른 기적을 만들기를 바란다.

나 또한 그렇다. 나 자신을 응원하고 칭찬하기도 한다. 공부방을 운영하면서 다른 원장님들의 세미나를 듣고, 모임에 참석해 이야기를 나누다 보면, 나는 내 자신이 왜소하게 느껴졌다. 나는 그들이 만든 몇십 년의 노하우들이 너무나 대단해 보였다.

나도 영어업계에서 10년 동안 몸을 담아 일을 했지만, 나의 공부방을 운영하는 것은 처음이었기 때문에 또 다른 영역의 어려움이 있다고 생각했다. 그때의 나는 남과 나를 비교하며 그들에 비해 너무 작은 존재 같이 느껴졌었다. 그러면서 점점 자신감이 떨어졌다. 처음엔 나의 프로필에 그들처럼 내가 영어를 잘 배웠고 잘 가르칠 수 있음을 증명할 수 있는 자격증 들을 긁어모아 작성해 두었다. 하지만 마음에 들지 않았다. 그 자잘한 프로필을 모두 지웠다. 그러고는 내가 잘할 수 있는 것을 생각했다.

과연 내가 우리 학생들에게 어떤 선생일까? 나는 어떤 것을 가르치고 있지? 그리고 나의 프로필을 그렇게 채워 나갔다. 마음을 다해 학생들을 마음으로 가르치는 것, 학생들이 영어를 좋아할 수 있도록 만드는 것, 꾸준히 공부하는 방법을 알려줄 수 있다는 것. 능동적으로 공부할 수 있도록 돕는 것. 그것들을 작성하고 나니 갑자기 정말 내 자신이 대단하게 느껴졌다. 내가 왠지 특별해진 사람이 된 거 같았다. 단지 프로필만 바꿨을 뿐인데 말이다. 결국 남과 비교하던 내 자신을 훌훌 털어 내고, 나 스스로를 응원했다. '그래 너도 잘하는 게 있어. 그래 너도 잘할 수 있어.'

자신이 무엇을 잘하는지 먼저 발견하고 그것을 최대한 잘 발전시켜 나가는 게 중요한 시대다. 어느 글에서 봤다. 나의 약점을 보완하기보다는 나의 강점을 발전시키는 것이 훨씬 낫다고. 인생의 시계로 보면 나는 아직 오전이다. 오후가 되기 전에는 나도 무르익겠지. 삐약이 샛노란 햇병아리가 언젠가는 꼬끼오 암탉이 되겠지. 앞으로 나 자신을 응원하며, 학생들을 응원하며, 내 곁에 있는 누군가를 응원하는 그런 따뜻한 담요 같은 사람이면 좋겠다.

학생들이 능동적으로
학습하도록
격려와 칭찬하는
원장

—

SOPHIE'S CLASS

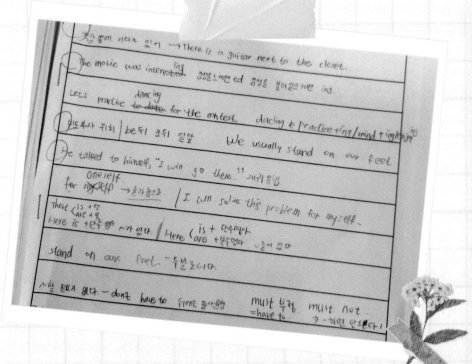

벽장 옆에 기타가 있어 → There is a guitar next to the closet.

The movie was interested. ~ing. 감정을 느끼면 ed 감정을 불러일으키면 ing.

Let's practice to dance for the contest. dancing → practice +ing / mind + thinking

빈도부사 위치 | be동사 조동사 일반 We usually stand on our feet.

He talked to himself. "I will go there." 재귀용법
oneself
for myself → 혼자 힘으로 | I will solve this problem for myself.

There < is + 단 / are + 복
Here is + 단수 형 ~가 있다. | Here < is + 단수명사 / are + 복수명사 ~들이 있어요

stand on our feet. → 두발로서다

~할 필요가 없다 - don't have to 규칙동사 must 부정. must not
=have to ~ 하면 안된다!

Chapter 2

김정아 원장 시점

영어는
내 인생의 구원자

전지적 영어원장 시점

한량으로 지내던 이십 대

나의 이십 대는 방황의 연속이었다. 지금도 그때도 취업하기 어려운 시대였고 졸업과 동시에 백수가 된 나는 엄마가 외국에 계신다는 핑계를 이용해 보고 싶다는 우는소리를 하며 뻔질나게 한국과 미국을 오갔다. 다정하고 친절한 초등학교 동창들이 미국에 살고 있어서 도시마다 여행하며 즐거웠다. 지금 생각하면 우리 부모님은 내가 한동안 백수였을지언정 여행을 다니는 것만으로도 모두다 내게 경험이자 자산이 될 거라며 믿어주신 게 아닐까.

그렇게 1년 정도 허송세월하고 대학 동기 하나가 남들이 인정할 만한 좋은 회사에 취업했다는 소리에 정신이 번쩍 들었다. 나도 취업을 잘했다는 소리를 들을 수 있을지 철없는 고민을 하기 시작했다. 눈만 높았던 나는 취업에 대한 조언을 구할 수 있는 믿을만한 어른이나 선배 하나 없이 막연히 남들 다 원하는 직장에 이력서를 넣기 시작했다. 넣는 이력서마다 떨어지던 그제야 더 일찍 공부하지 않은 것을 후회했다. 서류 전형이나 면접에서 떨어질 때마다 사회가 날 받아주지 않는다는 생각에 자괴감이 들었고 당시 유행하던 미국 드라마만 줄곧 시청하며 현실 도피처로 삼았다.

여느 때처럼 미국 드라마 속 주인공들의 행동에 심취하여 가볍게 웃어넘길 수 있는 에피소드를 보고 있는데 정말 신기한 일이 벌어졌다. 자막이 없이도 영어가 들리며 호흡이 긴 문장도 이해할 수 있었고 다음 장면으로 넘어갈 수 있었다. 심지어 기억에 남거나 재미있다고 생각한 장면의 대사를 중얼거리기, 역할 바꿔 말해보기 등으로 미국 드라마에 나오는 표현을 놀이 삼아 동생과 깔깔대며 즐거워했다. 언어를 가르쳐 온 경력이 쌓인 지금의 나라면 당연한 듯 그 이유를 댈 수 있겠지만, 그 당시엔 그저 한량으로 지내던 외국 여행 생활이나 영어를 제2전공으로 공부한 덕분이라 생각했다. 처음 토익을 봤을 때보다 귀에 들리는 영어 표현과 단어가 많아졌고 대본 없이 45분짜리 드라마를 온전히 이해하며 시청할 수 있는 수준에 이르렀다.

연이은 서류 탈락으로 좌절의 시간도 지겨워질 즈음 대부분의 회사에서 원하는 인재상의 공통점이 높은 토익 성적이라는 것을 깨달았다. 지금이라면 재학 중일 때보다 분명 잘 볼 수 있을 것이라는 자신감이 생겨서 마지막이라 생각하고 토익을 시험을 치렀다. 그때 받은 토익 점수로 남들이 가지 못해 안달이라는 회사에 면접을 보고 최종 합격할 수 있었다.

최종 면접에서 만났던 면접관들은 내 이력서 중에서 토익 점수를 가장 인상 깊게 보았던 것이 분명하다. 영어 면접을 보던 교포 면접관은 내 발음에 놀라는 눈치였고 마지막 임원 면접에서는 한글로 불러주는 말을 그 자리에서 바로 영어로 바꿔 말해보라는 임원 한 분이 있었을 정도로 영어에 관하여 굉장히 끈질길 만큼 실력 증명을 원했다. 합격자 발표 날, 회사 사이트에 수험번호와 생년월일을 입력하는 내 손은 덜덜 떨리고 있었다. '최종 합격'이라는 글씨를 확인하는 순간 너무나 가고 싶었던 직장이었기에 여동생 앞에서 엉엉 울며 기뻐했던 기억이 있다.

남들처럼 책상에 앉아 암기하거나 궁둥이 붙이고 오래 버티는 싸움을 할 자신은 없었던 내가 소위 말하는 '취업을 뽀개는' 영광을 누릴 수 있던 것은 아마도 '영어' 덕분이었으리라 생각한다. 영어에 온전히 집중할 수 있었던 시간이 없었다면 토익점수를 올릴 수 있던 실력도 생기지 않았을 테고 백수 생활을 거쳐 취업하지 않았더라면 영어라는 언어가 내게 얼마나 소중한지도 몰랐을 테니 말이다.

학습 상담을 해오는 학부모님들이나 함께 영어 공부하는 친구들에게 이렇게 강조한다. 영어라는 열쇠를 장착하면 우리가 마주할 수 있는 여러 개의 문을 열 수 있고 그 문을 통해 넘어가면 보이지 않았던 세계가 열릴 거라고. 직접 그 문을 열어 본 경험자로서 자신 있게 이야기하다 보면 아이들에게 선물해 줄 세계에 대한 기대감으로 학부모님들의 눈이 초롱초롱 빛나고 미래에 대한 기대감으로 아이들의 눈빛은 반짝반짝한다. 그들이 가지고 싶어 하는 그 기회의 문을 열 내적 동기를 심어주고 꿈을 향해 나아갈 수 있도록 도와주는 역할을 바로 내가 지금 영어를 통해서 하는 것이다. 한때 진로의 갈림길에서 조언을 구할 조력자 하나 없이 살아온 나는 그토록 갈구했던 그 역할을 스스로 자처하며 그때의 나처럼 헤매는 누군가에게 도움이 되고 싶었나 보다.

회사원으로서의 삶을 포기한 후

처음 취업의 문턱을 넘은 뒤로도 여러 번 이직할 때마다 토익 점수는 나의 자산이 되어주었으며 나를 증명하는 신분증 역할을 했다. 유효 기한이 있던 토익 점수를 계속 갱신하기 위해서는 공부하고 시험을 치르는 노력도 필요했다. 처음 치른 토익 시험 이후로 나는 꽤 오랫동안 성적 관리를 해왔다. 그러나 30대에 들어서고 결혼을 한 후로 취업 세계에서 나를 증명할 수단이 더 이상 토익이 아닌 기혼 여부로 바뀔 줄 누가 알았을까.

대학원에서 경영학을 공부했고 영어도 깨나 하고 운이 좋다고 자부하던 나는 30대 중반에 들어선 어느 날 회사원으로서의 마지막을 경험했다. 경력직으로 새로운 직장에 출근한 지 이제 막 2개월 차였고 여느 때처럼 출근했던 날 그 자리에서 해고당했다. 사람들은 아마 내가 직무를 제대로 수행하지 못했다거나 잘못했기 때문이라고 생각할지도 모른다. 하지만 그렇게 갑자기 벌어지는 일도 있더라고 나는 꼭 말하고 싶다. 대기업 경력을 이용해 들어온 계열

사였지만 금융권에서 나름 탄탄하다는 배경과 경력을 가진 대표님을 모시는 자리였다. 기혼여성으로 취업에 성공하기가 하늘의 별따기와 같았던 때에도 영어 덕분에 계약직이나마 한 자리를 꿰차고 근로계약서 작성 당시 약속 받았던 정규직 전환의 꿈에 부풀어 있던 나였다. 남편이랑 함께 우리의 가정을 위한 경제적 계획을 세우면서 기뻐했다가 하루아침에 회사 대표가 기혼인 나를 불편해한다는 이유로 그만둬야 했다. 출근하면 하루 종일 온 사무실 직원을 간접흡연의 희생자로 삼던 대표의 말 한마디에 실업자 신세라니 정말 억울했다.

그 뒤로도 계속 재취업을 위해 애쓰고 면접을 보러 다닐 때면 나를 보던 면접관들의 눈빛과 태도가 이십 대의 취업 준비생으로 있던 나를 보던 그것들과는 확연히 달라져 있었다. 그들은 내가 맡은 일을 잘할 수 있는지나 영어를 얼마나 잘하는지를 궁금해하지 않았고 앞으로 자녀 계획이 있는지를 더 궁금해했으며 남편이 무슨 일을 하는지를 아주 자세히 물어보았다. 당시에 어떤 한 회사와의 면접을 위해 면접 복장에 한껏 힘을 주고 답변 준비도 많이 했지만, 면접 후에 종로 한복판을 걸어오며 문득 깨달았던 것은 면접을 잘 본 기대감에 출근할 수 있겠다는 확신은 절대 아니었다. 출산 계획은 있는지나 아이를 낳고도 계속 일하고 싶은지에 대한 질문으로 지쳐버렸다. 나는 그날 회사원으로 사는 이상 내가 맡은 업무를 잘할 수 있는지와 관계없이 계속해서 타인에 휘둘리는 삶을 살아야 한다는 절망적인 현실을 깨닫고 만 것이다.

더 이상 나라는 사람이 들어가서 능력을 발휘하고 싶은 회사는 없었다. 기존에 받던 연봉을 한껏 낮추어서라도 나를 받아줄 만한 회사에 이력서를 넣기도 포기했다. 하지만 삼십 대 중반의 대한민국 기혼여성이 새로 시작할 수 있는 커리어가 무엇이 있을지 도저히 알 수가 없었다. 이십 대에도 삼십 대에도 나는 여전히 진로를 고민하고 있었지만, 마땅히 기대어 조언을 구할 존재가 없었다.

대학교 졸업 후 첫 취업부터 그때까지 나는 어딘가에 꼭 속해야 하는 존재이면서 동시에 취업을 통해 쓰임을 증명해야 하는 존재였다. 능력이 있으면 여자 혼자 살아도 된다는 말이 나온 지 불과 몇 년이 되지 않았다. 요즘 말을 빌려 '라떼'에는 대부분의 어른이 대학을 나와 당연히 취업하고 좋은 직장을 다니며 착실히 저축하고 결혼하고 아이를 낳아야 한다고 했다. 나는 분명 그들이 말하는 대로 결혼을 했고 좋은 직장도 다녀보았어도, 월급을 잘 모으지도 못했고 물려받거나 큰 재산이 있는 것도 아니어서 어떤 분야에서 경제 활동을 이어가야 할지에 대한 근심만 깊었다.

무언가 다시 시작할 용기가 선뜻 나지 않은 채로 있으니 나를 딱하게 본 회사 동기 한 명은 파트타임 강사 자리를 추천해 주었다. 언니는 영어 실력이 있으니 자기가 퇴사 후 강의하던 학원에서 영어 면접을 준비하는 친구들에게 시간당 페이를 받고 수업해 보면 어떻겠냐는 거였다. 온전히 영어만 가르치는 일은 아니었고 영어로 이력서를 쓰도록 도와주고 기출 질문 위주로 연습을 도와주는 일이었다. 당장 영어를 가르쳐야겠다던가 누군가를 가르치는 일을 해야겠다고 마음먹고 시작한 건 아니었지만, 그 일은 신기하리만치 여러 면에서 꽤 보람 있었다.

면접은 시험처럼 답만 줄줄 외운다고 합격할 수 없기 때문에 아이들이 스스로에 대한 확신을 가질 수 있도록 도와주는 과정이 필요했다. 자신과 관련된 사소한 성취 경험부터 되짚어가며 그것들을 지원 분야에서 가장 잘 보여줄 수 있는 장점으로 포장하고 글과 말로 잘 표현할 수 있도록 도와줘야 했다. 항상 진로에 관한 고민을 달고 살던 나였기에 그들의 고민의 무게가 절절히 와닿아 어떤 방향에서 접근하면 좋을지 함께 고민하고 답을 만들어 갈 때마다 내가 도움이 되는 존재일 수 있어 뿌듯했다. 그리고 애를 써서 만든 이력서 내용과 기출 질문에 대한 답변을 정리하며 어떠한 태도로 전달해야 면접관과 소통할 수 있는지를 학생들과 연습했다. 내 이력서를 쓰고 면접 준비할 때보다 훨씬 의욕이 넘쳤고 함께 준비하던 학생들의 합격 소식이 하나둘 들려올 때마다 기뻤다. 처음 선생님 덕분에 합격했다는 소식을 들은 후 저 바닥에 떨어졌던 자존감이 쑤욱 올라와 내 가슴을 울렸다. 그렇게 나는 어느샌가 선생님으로 불리고 있었다.

영어 강사가 천직임을 깨닫고

영어 면접 강의 일을 시작했어도 여전히 월급받을 적보다 적은 수입이었다. 아직 대한민국 어딘가에 나를 원하는 회사 한 군데쯤은 있지 않을까 하는 실낱같은 희망의 끈을 놓지 않은 채로 그놈의 토익을 또 공부했다. 반드시 회사에 다니겠다는 마음이었다기보다 아직 현실에 부딪힐 용기가 없어서였을지도 모른다. 오랜만에 시험 접수를 하고 여느 때처럼 취업 공고 사이트에 습관적으로 들어갔다. 항상 토익 점수가 나의 키워드 알림이었다 보니 토익이라는 글자만 보고 우연히 클릭한 글은 강사를 모집하는 공고였다. 우리나라에서 토익 강의라면 유명한 어학원 중의 하나인 곳이었다. 당연하게도 우리가 알고 있는 치열한 수강 등록 경쟁을 해야 하는 1타 강사를 뽑는 자리가 아닌 출장 강의를 나가는 강사를 뽑는다는 내용이었다. 영어 강의 경력이라고는 대학생 때의 과외 경험과 파트타임으로 하고 있던 일밖에 없었지만 면접과 시강을 본 후 바로 대학교에 방학 때마다 나가서 강의하는 형식으로 토익 강의를 시작할 수 있었다. 이 계기로 본격적인 영어 강사 생활을 시작했고 아무리 생각해도 영어가 다시 한번 나에게 또 다른 커리어를 시작할 수 있는 기회를 구해준 것이었다.

처음 강의를 나갔던 대학교는 한 번도 가보지 못한 곳이었다. 당시 서울에서 거주 중이었던 나는 공교롭게도 수리 중인 차를 두고 한 달 동안 매일 아침 지하철이 닿지 않는 경기도의 끝자락에 있는 학교에 출근하기 위해 고속버스를 탔다. 숨을 헐떡이며 도착한 강의실 문을 열고 들어가서 마주했던 100여 명 남짓한 아이들의 표정을 아직도 잊지 못한다. 그들의 절실함에 내가 제대로 응답을 해줘야 한다는 부담감에 마이크를 잡은 손과 목소리가 참 많이 떨렸다. 아이들은 하나라도 더 배워서 졸업 기준을 충족시키려고 강의에 집중하고 있었다. 대형 강의가 처음이었던 나는 매일 밤늦게까지 수업 연구를 해야 했던 데다가 매일 왕복하는 장거리 출퇴근에 피곤했고 시간은 항상 모자랐다. 그래도 어떻게 하면 문제를 잘 푸는 요령을 가르쳐주면서 동시에 영어의 기초 체력을 키워줄 수 있을지를 한참 고민하다 보면 나의 영어 그릇까지 넓어지고 있었다. 대충 알고 있던 문법이 내 머릿속에서 정리가 되어갔고, 감으로 들던 영어 단어의 발음 기호까지 설명하며 내 영어 실력도 늘고 있었다. 아무래도 토익을 처음 치르는 친구들이 많아서 영어 초급자들이 헷갈리는 어휘와 문법의 쓰임을 어떻게 하면 잘 분별할 수 있는지도 연구해서 설명했다.

그다음 강의를 나간 대학교는 우리나라에서 단 하나밖에 없는 곳이었다. 그곳을 졸업하면 친구들은 고위급 공무원의 길을 걸어가는 입학하기 굉장히 어려운 학교였다. 나의 수능 성적으로는 발도 못 내밀었을 곳에서 토익 특강을 맡았다. 제복을 입고 각이 잡힌 자세로 수업을 듣던 그들은 기분 전환 삼아 건네는 나의 썰렁한 유머에도 웃어주는 예의 바른 학생들이었지만 솔직히 내게는 일반 학교보다 더 부담되는 곳이었다. 이미 똑똑한 친구들에게 영어를 가르친다니 어떻게 접근하면 좋을지에 대한 고민을 참 많이 했다. 빠른 시간 안에 높은 성적을 올리길 원할 것 같아서 알짜배기 요령 위주의 강의를 했다. 앞선 학교에서 영어 기초 실력 다지기에 집중했다면 이번 학교에서는 효과적으로 강의를 전달하고 중요한 사항을 강조하는 방법을 주로 연구했다.

그 뒤로는 기업체 출강이나 나와 공부했던 학생들의 소개로 토익 과외를 계속 이어갔다. 여러 번의 강의 경험으로 자신감이 붙은 나는 강남의 한 어학원에서 영어 면접 강의와 문법 강의를 동시에 맡았다. 대형 어학원은 고등학생 대상의 단과 학원과 시스템이 거의 같았다. 강사 면접을 보고 강의실을 대여해주고 자사 사이트나 지면에 초기 광고만 지원을 해준다. 그달 모집된 학생들을 데리고 강의 평가를 잘 받으면 그다음 달도 강의를 열 수 있는 시스템이다.

모든 수업이 대학생 이상의 성인을 대상으로 하였지만 문법 수업에 고등학생 친구가 한 명 있었다. 그 친구는 원하는 대로 수업 방향이 진행되지 않거나 재미있지 않으면 항의하는 친구였다. 내 수업에 대한 다른 많은 성인 학생의 긍정적인 평가에도 불구하고 어쩐지 고등학생 한 명의 의견이 더 크게 와닿았다. 사람이 다 똑같을 수는 없는지라 당연히 학생으로서 더 잘 배우고 싶은 마음이 크다면 불만이 있다고 하여 나쁜 학생이 아님을 안다. 오히려 내가 부족한 부분이 있을 수도 있다고 여기고 모자란 부분을 채울 수 있는 기회라고 여겼다. 아무래도 중고등학교 때 나는 토플이라는 시험으로 입시를 준비했었기에 한국식 문법에 약하다고 생각하고 있었다. 영어를 과목으로 바라보면 모든 인증 시험과 공부 법은 비슷해 보인다. 하지만 아이들 학년별로 나이대별로 중점을 둬야 하는 영역이 다르다. 그리고 한국의 입시 제도 속의 영어 과목은 좀 더 다르게 접근해야 한다. 이번 기회를 통해 수능 영어까지 가르칠 수 있는 역량을 키울 계기로 삼아야겠다는 결심을 하고 본격적인 입시 강의에 도전하고자 수능 영어 문제집을 펴서 공부하기 시작했다.

한창 특목고 입학을 강조하던 입시 제도일 적에 많은 학부모들이 찾던 어학원이 있었다. 내가 살던 지역의 학원가를 지나가면 언뜻 보기에도 가장 큰 간판을 가진 그 어학원에서 일하고 싶었다. 그곳에서 영어 실력이 출중한 아이들을 가르칠 수 있다면 어디에서든 강의 경력을 인정받을 수 있을 거라 여겼다. 채용 사이트를 검색해서 마침 발견한 전임 강사직에 지원한 후 얼마 지나지 않아 면접을 보았고 성인들을 대상으로 한 경력밖에 없던 나는 처음 중고등학교 아이들을 가르칠 수 있는 기회를 얻었다.

끊임없이 헤엄쳐야 하는 상어처럼

영어 강사는 당연히 수업을 잘해야 한다. 학생들에게 영어라는 언어를 전달하기 위해서도 이론적인 지식을 가지고 있어야 하고, 영어를 정말 잘해야 강의에 대한 설득력도 커진다. 하지만 직업인으로 보면 가장 필요한 적성은 내용을 잘 전달할 수 있는 기량과 그것을 키울 끈기와 노력이라고 본다. 그리고 경력이 쌓이면 쌓일수록 깨달았던 가장 중요한 덕목은 바로 관리 능력이다.

누군가를 가르치는 일은 순수한 수업 시간 외에 생각보다 많은 개인 시간을 일에 투자해야 하더라. 흔한 영어 강사 채용 공고의 출근 시간만 보면 영어 강사의 일은 야행성인 내게 딱 맞는 일이었고 굉장히 자유로운 삶을 살 수 있을 거란 희망을 품을 수 있었다. 다들 이 직업이 일반 회사원보다 출근이 늦어서 굉장히 여유로운 직업이라고 생각하기 쉽다. 대부분 초중고생이 다니는 입시 학원이나 어학원들은 아이들이 하교한 후에 수업을 시작하고 출근 시간이 오후 2시 이후이기 때문이다. 하지만 이 일은 순전히 수업 시간으로만 계산하면 안 된다. 수업 하나를 하기 위해 아이들의 학습 진도를 파악해야 하고 매일 아이들의 학습 태도를 가지고 학부모와 상담해야 하고 그 수업 내용을 잘 전달하기 위해 연구하고 준비해야 한다. 그렇다면 그 시간은 과연 출퇴근 시간에 포함인 걸까? 아니다. 내가 맡은 수업이 토익이라는 시험이거나 혹은 아이들의 문법 수업이라는 것과는 상관없이 수업 방법을 위해 투자하는 시간은 근무시간에 포함하지 않는다. 거기에 하루 종일 서서 수업을 할 수 있을 정도의 체력을 쌓아가고 대면 상담에서 호감을 줄 수 있도록 용모를 단정하게 다듬을 시간까지 계산한다면 강사로 사는 삶에 여유로움이 있는지에 대해서는 단순 계산으로 절대 파악할 수 없다.

그뿐이랴. 영어 강사는 평일과 주말의 구분도 없는 삶을 살아야 한다. 매일 출퇴근하고도 주말에는 지필 시험을 치르는 중고등학생들을 추가로 지도하며 전쟁 같은 시간을 보내면서 일주일 내내 영어에 중독된 사람처럼 일해야 하니 주말 또한 근무 시간의 연장인 셈이다.

살아 움직이는 언어처럼 그 언어를 가르치는 사람도 멈춤 없이 공부해야 하면서 능력치를 최대한 올릴 수 있는 관리가 필요하다. 스스로 영어를 공부해 본 경험, 실제로 외국에서 생활해 본 경험, 실전 업무에서 사용해 본 경험, 그리고 누군가에게 영어를 가르쳐 본 경험까지 계속 쌓아온 것을 아이들이 잘 받아들일 수 있도록 전달해야 한다. 그러나 한국에 오래 머무르고 수업하는 시간이 누적될수록 예전보다 영어로 말하거나 쓰기를 할 때 표현하는 속도가 느려졌다. 엄밀히 말하면 영어로 된 지문을 읽는다거나 영어 대화, 뉴스 등을 듣는 것은 참 잘했으나 영어로 문장을 만드는 영역, 즉 말하기와 쓰기 영역이 약해졌고 내가 원하는 대로 바로바로 영어가 입 밖으로 튀어나오지 않았다. 듣기에 특화된 영어 실력이라 일상 수준의 회화는 당연히 어려움이 없었지만 아무리 잘 듣고 이해할 줄 알아도 의사소통 기능 중에 절반 이상을 차지하는 중요한 부분 즉, 본인의 생각을 언어로 표현하는 부분이 내가 올라갔던 수준이 아닌 가르치는 아이들의 수준에 자꾸만 맞춰지고 있었다.

그렇기 때문에 영어 실력을 유지하기 위해서는 진짜 끊임없이 노력해야 한다. 매일 원어민과 전화영어를 하며 영어로 대화하고, 각종 영상 컨텐츠를 보면서 요즘 영어 뉘앙스를 익혀야 하고, 원서를 통해 영어를 가르치는 사람이 영어책을 읽지 않을 수가 없다. 언어가 이래서 어렵다. 사용하지 않거나 일부분만 사용한다면 뇌가 그곳에서 안주한다. 아이들에게 숙제를 내주면서 말한다. 선생님도 매일 영어를 잊지 않기 위해 노력 중이고 공부한다고. 그러면 아이들은 선생님인데도 공부하는 나를 굉장히 신기하게 쳐다본다. 그래도 그럴 땐 아이들에게 자랑스럽게 공부하는 선생님이라고 이야기할 수 있어 뿌듯하고 매일 전화 영어를 하고 영어 원서 읽는 스터디 모임을 하는 보람이 있다.

관리해야 하는 덕목 중에 제일 우선은 체력 관리라고 본다. 만약 누군가를 가르치는 사람이라면 건강해야 한다고 강조하는 책을 읽은 적이 있다. 무엇을 가르치든 선생은 활기 있고 목소리가 맑고 움직임이 씩씩하며 걸음이 단정한 사람이 최고라고. 운동은 영어 원장에게 선택할 수 있는 필요 과목이 아니고 필수 과목이다. 원장의 체력이 곧 학원의 능력이 된다. 1년에 여러 번 아이들을 위한 행사를 준비하다 보면 평소보다 일찍 출근하고 늦게 퇴근하며 피곤해서 택시도 많이 탄다. 움직임이 둔해지면서 혈액순환에 좋을 리가 없고 필기하기 위해 팔을 많이 쓰니 관절이 좋지 않다. 아이들과 눈높이를 맞추기 위해 숙이다 보면 허리도 아프고 수업 시간을 빼고 끼니를 챙길 수 없으니, 위장 기능도 좋을 리가 없다. 수업하기 위해서나 살기 위해서 운동을 필수로 해야 하며 가정도 틈틈이 돌봐야 한다. 이 모든 일은 기초 체력을 바탕으로 이룰 수 있다. 와, 내가 지금처럼 부지런하게 열심히 살았다면 학창 시절 서울대도 갔겠다 싶다.

경제적 어려움에 빠진 초보 사업가가 되었지만

서울에서 살다 보면 거주지 주변 편의 시설이 주는 생활의 안락함이라는 큰 장점에도 불구하고 주로 생활해야 하는 공간인 우리 집이 너무 좁다는 큰 단점도 존재했다. 우리 부부는 2020년 넓은 새집에서 살고 싶은 마음 하나만 가지고 아는 사람 하나 없는 김포 신도시로 이사 왔다. 나도 남편도 살아본 적 없는 지역으로 온 이유는 바로 공부방을 오픈해 본격적으로 나의 일터와 집을 모두 내가 원하는 방향으로 꾸려보려는 시도였다.

이사를 마치고도 고등학교 아이들이 학기중이었기 때문에 당시에 다니던 학원을 그만둘 수가 없었다. 고등학교 친구들 1등급 만들어 대학도 보내보고, 수많은 중학생을 내신 A로 만들어 원하는 고등학교에 보냈던 그곳을 그만두기는 참 어려웠다. 왕복 세 시간 거리를 출퇴근하며 기말고사 대비를 하다보니 퇴근이 매번 열두시가 넘어가면서 어쩔 수 없이 그만둘 수밖에 없었다. 한동안 화상으로라도 수업하고 싶다하여 줌으로 수업을 이어가길 원하는 아이들도 있었다. 경력을 고려하면 당연히 새 둥지에서도 중고등부 수업이 이어질 줄 알았다. 하지만 이사 온 동네는 초등학교를 품은 대단지 아파트여서 초등학생들 비중이 높았다. 평소에 틈틈이 영어 원서를 활용해서 어릴 때부터 영어를 제대로 배울 수 있는 수업 방안을 고민하던 나는 이참에 원서교육과 어학원 커리큘럼으로 소수정예 집중 수업하는 영어 공부방을 열기로 했다. 아직 씨앗 학생도 없던 시절이었기 때문에 상가에서 학원을 개원하는 것보다 공부방이 더 아이들에게 양질의 수업을 해줄 수 있는 좋은 공간이라고 생각했기 때문이다.

영어 공부방 원장은 홍보부터 재원생 관리 그리고 수업까지 모두 다 혼자 해야 한다. 강사 시절엔 그나마 학부모 상담과 아이들 관리 그리고 수업이 주된 업무였다면, 이제는 스스로를 1인 사업

가로 여겨야 한다. 공부방을 홍보하는 수단으로 블로그를 열었고 인스타를 시작했다. 나에 대한 소개부터 레벨별로 어떻게 공부하는지 어떻게 가르칠 건지 하나씩 글에 꾹꾹 눌러 담았다. 그러다 영어 원서 전문 공부방이라는 타이틀을 내걸고 오픈한 나의 공부방에 첫 학생이 등록했고 6개월 동안 25명의 학생이 들어왔다. 지금은 3년 차에 40명 남짓한 우리 학생들과 함께하고 있다.

물론 지금의 공부방으로 거듭나기까진 정말 많은 일이 있었다. 오픈했을 때 우리 가족 입주가 늦은 편이어서 이미 아파트 단지 하나에 영어를 가르친다고 광고하는 공부방이 10개 이상, 영어 학원은 어학원까지 포함해서 10개 이상, 최소 경쟁자가 20개 정도 되는 환경이었다. 그렇게 1년 6개월 동안 수많은 경쟁 업체 사이에서 아이들이 눈에 띄게 늘지도 않으면서 여름방학이나 연말만 되면 확 줄기도 했다. 몇 년 동안 원생을 유지하고 한 동네에 있다 보니 많은 학생들과 학부모를 만났고 마음이 지치는 일도 있었다. 한 예로, 어느 날은 그만둔 지 6개월이나 지난 학생의 어머니가 카톡을 보냈는데, 회사 연말 정산용 자료로 수업료 영수증을 받아야 하니 작성해서 보내주실 수 있냐는 내용이었다. 그 친구는 나와 6개월을 공부했던 것으로 기억하고 있었지만 아무리 결제 기록을 찾고 계산해 보아도 수업료 결제일이 밀려서 한 달 치 수업료가 미납인 상태를 발견했다. 아차, 원생이 얼마 되지 않던 때라 매달 들어오고 나가는 수강료 관리를 제대로 하지 못한 내 탓이었다. 미납금을 요구했으나 오히려 성을 내던 학부모를 보며 만감이 교차했다. 수업만 잘해서 되는 일이 아니라는 걸 마음을 다치고 깨달은 것이다.

나는 전 세계적인 역병이 한창일 때 사업자를 냈다. 어떻게 보면 용기 있고 어떻게 보면 무모하게 보일 수 있는 결정이었다. 마스크를 벗고 생활할 수 있게 되면서 경쟁업체 수는 입주 때보다 더 늘어갔다. 공부방을 시작할 때만 해도 원서 없이 시중 교재로만 수업하던 공부방들이 원서를 읽히고 소리 영어 프로그램을 사용하는 모습을 보며 더 이상 나만의 경쟁력이 없어지고 있는 것이 아닐지 하는 걱정으로 전전긍긍했다. 나는 정말 집에서 일하고 먹고 자고 일하기 위해 준비하고 공부하고 노력하며 살고 있는데 왜 경제적으로 나아지질 않는 건지 궁금했다. 왜 하필 나는 이 시기에 오픈을 해서 휴원을 거듭하면서 이렇게 어렵게 하루하루 이어가야 하는지 의문이 들었다. 경제적으로도 개인적으로도 수많은 걱정을 하며 지새운 밤이 한가득하였다.

그래도 어려운 시기에 한 명이라도 나와 공부하려고 한다면 너무나 감사한 일이라며 스스로를 다독였다. 수업 시간에는 아이들 눈높이에 맞춰서 하나라도 더 알려주기 위해 애쓰고, 아이들을 위한 행사를 열 때마다 음식이나 용품 모두 좋은 품질로 고르고, 명절 때마다 어머님들께 감사의 인사를 잊지 않았다 평균 재원 기간이 1년이 넘는 우리 학생들이 유치원이나 초등학교를 졸업할 때면 학습식인 공부방에 보내면서 숙제할 수 있도록 가정에서 지도해주느라 고생하셨던 어머님들 따라 나까지 울컥할 때가 많다. 우리 아이들은 코로나를 뚫고도 공부해 왔기 때문에 얼마나 잘하는지 보여주고 싶고 내가 처음부터 이렇게 열심히 하고 있었다고 뽐내고 싶다. 이제는 믿고 보내주시던 학부모님들은 아이들의 얼굴이 나와도 괜찮으니 잘하는 모습을 찍은 영상이나 그동안 열심히 한 과제들을 모아 광고 좀 해보라는 조언을 주기도 한다. 물론 지금도 한 달 벌어 한 달 사는 자영업자이지만 그래도 여전히 내 공부방에 와서 공부하는 아이들이 기특하고, 나 하나 믿고 보내준다고 말씀하시는 어머님들이 가슴에 사무치게 고맙다.

모두를 만족시킬 수 있다는 착각에서 나와

공부방을 처음 오픈할 때의 목표이자 지금까지 고수해 온 나만의 정체성은 한 번 배울 때 제대로 가르치자는 다짐이다. 영어 기초만 제대로 배워도 영어 공부를 하나의 길로 연결할 수 있다. 토익 같은 공인 인증 시험 공부와 영어 회화를 따로 하거나 입시 영어를 따로 할 필요가 없다. 나는 그 마음으로 초등부 파닉스 클래스부터 열었다. 아이들에게 읽고 쓰는 법부터 똑바로 가르치고 싶었다. 제대로 된 파닉스 수업을 하기 위해 영어 전공책을 펴서 음운론을 되새기고 효율적인 교수법을 알려주는 세미나를 찾아 듣고 어린 친구들의 언어가 어떤 식으로 발달하는지 공부했다.

저학년 친구들은 영어가 생활 속에서 자연스레 자리 잡아갈 수 있게 하고 고학년 친구들은 영어로 입시를 치러야 하니 꼭 해야 한다는 마음가짐을 가질 수 있도록 도와주는 것이 영어 강사이자 영어 원장의 임무라고 생각한다. 그래서 우리가 모국어인 한국어를 배우기 위해 어릴 때 독서를 많이 했던 것과 같이 나는 원서 읽기를 통해 영어 교육을 한다. 갈수록 길어지는 영어 지문을 보고 어릴 때부터 아이들이 긴 호흡의 글에 익숙해지지 않으면 앞으로 언어 관련 과목은 점수 내기 힘들겠다는 생각이 들었다. 독서를 언제나 강조하며 아이들의 책 읽기 습관을 끌어주기 위해 노력하고 스스로 책을 읽을 수 있도록 독립 읽기 습관을 기를 수 있게 도와주고 싶다. 공부방에 오는 아이들은 자기 레벨에 맞는 책을 읽고, 책에서 읽은 내용을 가지고 다양한 독후 활동을 병행하며 체화한다. 중학교에 입학하고 고등학교에 진학하면 할수록 할 시간이 없거나 할 필요가 없어져서 등한시하기 쉬운 영역인 듣기와 말하기도 소리 영어를 통해 충분히 학습시키고 있다. 그래서 내 수업의 기본은 원서 읽기이고 궁극적인 목표는 영어 원서를 읽은 내용을 활용하여 소리 영어로 학습한 자원을 이용해 자기 생각을 영어라는 언어로 표현하며 글로 쓰기이다.

종종 전화 문의로 다른 학원 레벨테스트는 준비해 주는지, 기존 학원과 병행하며 1주일에 1회만 원서 읽으러 등원해도 되는지 물어보며 기존에 세워두었던 나만의 커리큘럼을 무시하는 상담도 들어온다. 그들도 원하는 선생님과 학원을 고를 수 있는 권리가 있듯이 나도 원하는 학생만 받을 권리가 있다. 단순히 갑과 을의 관계라고 정의하고 휘둘리지 말고 내가 정한 나의 수업 방향을 믿어야 한다. 그래야 나와 성향이 잘 맞을 아이들이 와서 좋은 학습 분위기가 유지되고 차차 들어오는 친구들도 적응을 잘할 수 있다.

공부방 운영이 안정적이라는 말의 의미는 학생들의 재원 기간이 늘어났다는 것과 같다. 재원 기간이 오래 지속되면 아이들이 실력도 오른다. 파닉스를 배우던 친구들이 읽기를 하고 원서 내용을 이해할 수 있게 된다. 아이들이 영어 말하기 대회에 나가서 큰 상을 받아온다거나, 중고등학생들이 내신 점수를 잘 받아오기 시작하며 어머님들의 주변 소개가 늘어났다. 재원생의 동생들을 보내주시고 잘하는 아이를 보고 같은 학교 친구들이 어디 다니는지 물어보고 소개를 통해 등록이 이어졌다. 그러면서 당연히 나의 씨앗 학생들도 계속 나와 고등학교까지 함께할 거라는 큰 착각을 해버렸다. 나는 고등 모의고사와 수능 수업까지 가능하니까 아이들이나 어머님들이 나와 계속 함께할 거라고 지레짐작으로 생각했다.

"우리 OO이 아무래도 고학년이라 학원으로 보내줘야 할 거 같아요. 선생님, 이번 달까지만 보낼게요."라는 말은 청천벽력이었다. 주변에 중학교가 없다 보니 다니는 중학교 근처로 학원을 옮기기도 하고, 좋은 학군지를 찾아 이사하기도 하는 친구들과의 헤어짐은 가끔 있었다. 하지만 단지 '공부방이기 때문에' 더 이상 못 보낸다니 충격이 컸다. 나의 첫 씨앗 학생이었던 친구의 퇴원으로 적잖은 충격을 받고 슬럼프가 찾아왔다.

어떤 친구가 오더라도 나와 공부하면 영어를 잘할 수 있어야 하고 모든 아이가 반드시 내 공부방에서만 영어를 공부해야 할 필요는 없다. 그런데도 유난히 그 사건이 힘들었던 이유는 어머님과 통화하며 그 아이가 다니던 수학 학원에서 영어 과목 선생님을 모시고 한 달 수강료 무료라는 홍보에 혹해서 옮겼다는 사실을 알게되었기 때문이다. 나와 무려 3년 가까이 공부하고 애정을 쏟고 정이 많이 든 친구도 그렇게 헤어질 수 있다는 사실이 힘겨웠다.

지독한 슬럼프를 극복할 수 있던 계기는 가까운 곳에 있었다. 단지 안팎으로 많은 공부방과 학원 속에서 아직 팬데믹 후유증으로 전 세계적으로 불경기가 찾아온 이때에도 힘을 내서 일할 수 있던 원동력의 절반은 서로 으쌰으쌰 하면서 잘 버텨낸 남편과 더불어 해외에서 살면서도 항상 나를 응원해 준 엄마와 여동생 덕분이었다. 그리고 나머지 절반은 모두 2021년부터 꾸준히 믿고 보내주신 어머님들과 매일 숙제하고 등원해 주는 우리 아이들 덕분이었다. 이처럼 힘들고 상처받으면서도 영어를 가르치는 일을 15년이나 그만두지 않고 지금까지 열심히 해 온 것은 왜일까. 비록 아이들과의 만남과 헤어짐이 반복되고 나에게 오는 모든 사람을 만족시킬 수는 없을지라도 매슬로 선생님이 말했던 것처럼 아마 나의 삶에서 이미 큰 부분을 차지하는 일이기 때문 아닐까 한다.

'모든 인간존재는 의미 없는 일보다 의미 있는 일을 선호한다. 이는 인간이 가치체계를 가지고 그걸 통해 세상을 이해하고 거기서 의미를 찾고자 하는 고차원적인 욕구를 지니고 있다는 말이나 다름없다. 일이 의미가 없으면 삶도 의미가 없어진다.'

  - 인본주의 심리학자 에이브러햄 매슬로우(A. Maslow)

상담심리학 학위를 받을 만큼 일에 진심인

　대부분 사람들은 일정 연령이 되면 유치원부터 시작하여 형식교육의 제도 속에 들어간다. 초등학교, 중학교, 고등학교 등 학생이라는 입장에서 배움의 길에 들어서고 이 배움의 과정에서 어떤 학생들은 별문제 없이 학교생활과 학업을 수행하지만, 어떤 학생들은 성적이 생각만큼 나오지 않아 고민과 갈등 속에서 괴로워하며 학교생활을 하기도 한다. 배움의 과정 즉, 학습의 과정에서 겪게 되는 다양한 문제에 대하여 알아보고, 이를 극복하고 발전하기 위한 상담 방법을 공부했다. 동기부여 상담, 학습 고민 상담, 레벨 별 진행 상담, 거기에 아이들과의 라포르 형성에 관한 상담까지 모두 내 책임이다. 시기적절한 역할 수행을 위해 심리상담학과에 진학하여 학사 학위를 취득했다.

　직접 수업받는 학생과 어머님까지 두 명과 동시에 의사소통하면서 수업 관리와 실력 향상도 책임져야 하는 극한 직업이 바로 영어 원장이다. 그리고 그들을 챙기다 보면 가정이나 나 스스로를 돌보는 데 있어서 소홀해지곤 했다. 그렇다고 개인사나 나의 일 중에 어디에도 무게가 더 실려서 균형을 잃고 싶지 않았다. 삶을 잘 운영해 나가면서 나의 마음을 잘 챙기면서 항상 좋은 컨디션을 유지한다면, 나와 만나는 어머님들과 친구들에게 영어를 배우게 될 선생님이란 사람에 대해 좋은 이미지를 심어줄 수 있을것으로 생각했다.

　수업 중이나 수업 후에도, 혹은 대면 상담을 통해서도, 간간이 나누는 대화가 에너지를 주길 바랐고 얼굴을 마주하는 아이들이 영어 공부를 통해 성취감을 맛보길 바랐다. 궁극적으로 영어에 노출되는 총체적인 양이 어느 정도 이상 쌓여야 외국어 학습은 빛을 발한다. 그러기 위해서는 누구보다 공부하는 주체인 아이들의 자기 주도 학습 습관이 먼저 들어야 한다. 초등 중등 고등에서 완성해야 하는 영어라는 과목의 기준점에 도달하기 위해 영어 학습을 시작한 그들의 여정에서 나는 학습 욕구를 채워주고 응원해 주고 성취욕구를 이뤄주는 사람이다. 외국어는 3이라는 지점에서 포기하면 나중에 다시 시작할 때 1부터 해야 할 확률이 높다는 걸 나는 아니까 아이들과 어머님들이 포기하지 않게 상담하고 달래면서 끌고 나가고 싶다.

인간 중심 치료의 대가인 칼 로저스는 상담의 목적은 특별한 한 가지 문제를 해결하는 것이 아니라 더 나은 통합의 방식으로 현재와 미래의 문제에 대처할 수 있게 개인이 성장하도록 조력하는 것이라고 했다. 15년을 사교육계에서 아이들을 지켜보니 학습적으로 효과를 보기 위해서는 정서적으로도 안정된 상태여야 한다는 것을 알 수 있었다. 삶에서 가장 많이 보는 사이지만 생각보다 공부할 때 아이가 어떤지 어머님들이 모르실 때가 많다. 학생들의 요즘 감정과 건강 상태가 학습에 미치는 정도는 저학년일수록 더 크게 나타나기 때문에 학생들과 수업하며 보이는 변화나 내가 관찰한 부분을 가지고 소통하면 10명이면 10명 모두 다 좋아하신다. 서로 마음이 통하면 학생의 공부도 나의 수업도 더 잘되는 걸 느낀다.

우리의 뇌를 놓고 보면 단기 기억과 장기 기억에 맞추어 주기적으로 반복하면서 공부하는 게 중요하다. 한 번 보고 기억할 수 있는 능력이 있다면 좋겠지만 이제 막 학습 태도를 갖추기 시작하는 초등부 친구들에게는 반복인 듯 아닌 듯 즐겁게 공부하도록 지도해야 한다. 그래서 나는 심리 상담 과목에서 배운 아이들 발달 단계를 고려하여 학습을 도와준다.

영어를 자유자재로 구사하며 세계를 무대로 누비는 아이돌들과 영어로 연기까지 가능한 한국 배우들이 많아졌다. 세계적으로 유명한 드라마인 파친코의 주연인 김민하 배우님은 대부분의 학창 시절을 한국에서 보냈지만, 영어 공부를 아주 어릴 때부터 놓치지 않고 너무 많이 해야 해서 힘들 정도였다고 한다. 그렇게 어린 시절 노력한 결과로 글로벌 채널에서 전 세계적인 스타가 되어 자신이 생각하는 바를 자연스럽게 영어로 표현하실 수 있는 게 아닐까. 우리 친구들도 세계를 무대로 자신의 꿈을 이루었으면 좋겠다. 그리고 영어 공부가 그 발판이 되어주길 바란다.

오늘도 영어랑 노는 나는, 영어 공부방 원장입니다.

과테말라에서 지낼 적에 '천사의 집'이라는 보육원에 방문한 적이 있다. 한국인 신부님이 운영하며 오갈 데 없는 과테말라 아이들을 돌봐주는 곳이다. 한국에선 당연하게 여기는 생활의 혜택을 그곳에선 누릴 수 없다. 사람 손길 하나에도 그저 행복해서 환히 웃어주는 그 아이들을 보고 얼마 지나지 않아 내 이십 대의 방황을 끝냈었다.

그 후로 회사원으로 지내다 결혼한 다음의 15년을 돌이켜 보니 참 정신없이 살아왔다. 다양한 연령대의 학생들을 만나왔고 흥미진진한 경험의 연속이었다. 영어 면접 수업을 시작으로 토익 강사를 거쳐 대치와 중계 대형 어학원에서 아이들을 계속 가르쳐왔다. 회사원 생활을 거쳐 드디어 적성에 맞는 일을 찾았다는 생각에 영어를 공부하는 넓은 연령대를 아우르는 학생들과 함께 시간 가는 줄도 모르고 지냈다. 영어 학습을 믿어주시는 학부모님들의 기대도 감사했다. 나를 믿고 따라와 준 취준생들에게 힘 실어주던 나날들까지 모두 영어 강사인 내가 지금의 원장으로 성장할 수 있었던 영양분이 되어주었다.

이제는 희미해진 나의 어린 시절, 잠실 어느 한 동네의 학원 원장님이셨던 우리 아버지가 떠오른다. 아빠는 동생과 내가 사운드오

브뮤직을 보고 영어로 노래를 따라 부르면 발음을 어떻게 해야 하는지 어떻게 불러야 좋은지를 손수 불러주시곤 했다. 학원 봉고차가 우리 집 차였고 동생이 태어나기 전부터 나는 엄마 아빠와 드라이브하러 다닌 사진이 있다. 유치원에서 나는 원장님 딸이라고 불렀고 속셈과 주판을 배웠다. 그때의 아빠와 비슷한 나이가 된 당신의 딸이 선생님이나 원장님이라고 불릴 줄 우리 아버지는 아셨을까? 아마 내 무의식 속에 아빠는 원장님으로서 아이들을 대하던 그 따뜻한 모습이 남아있을 테고 큰 학원 두 개를 관리하며 수업하던 모습도 기억하고 있을 테지. 지금, 이 순간 내 마음속에만 살아 계신 우리 아버지께 직접 여쭤볼 수는 없어도 나는 왜인지 대답을 알 것 같은 느낌이다.

오늘 내가 내 이름을 걸고 영어를 가르치며 지내는 시간은 모두 진로를 찾지 못해 헤매고 재취업으로 고생하던 그때의 내가 바라고 또 바랐던 그 삶이다. 열여덟 해를 함께하던 강아지를 보내면서 간절히 집에서 할 수 있는 직업을 바랐고 내가 좋아하는 영어를 통해 사람들에게 도움이 되는 일을 하길 바랐었다.

우리는 과거, 현재, 미래에 스스로 하게 될 선택으로 이루어진 삶을 산다. 오늘 저녁 식사 메뉴를 무엇으로 할지, 대학 전공은 어떤 과로 할지, 졸리고 피곤하지만 공부하고 잘지, 내일은 추울 텐데 운동을 하러 갈지를 매 순간 선택한다. 내 인생에서 영어를 빼는 선택은 불가능할 정도로 영어와 나는 한 몸이다. 대학교 1학년 때 사촌오빠가 내 전공을 듣더니 영어를 함께 꼭 병행해서 공부하라는 조언을 해주었다. 그 말을 그냥 흘려듣지 않고 그 길로 바로 제2전공으로 신청했던 나를 칭찬해 주고 싶다.

내가 스스로 원장이 되기로 결심하고 공부방을 열기까지 고민만 몇 년을 했는지 모른다. 과연 나는 월급에서 벗어나 내 생활비를 벌 수 있을까, 망하면 어떡하지, 홍보, 수업, 관리까지 다 혼자 어떻게 하면 좋을까 등의 끊이지 않는 고민으로 시간을 보냈다. 지금도 고민하고 있을 수많은 강사분께 자기 일을 꾸려나갈 용기를 주고 싶다.

모든 학습은 인풋과 아웃풋이 있다. 인생도 인풋과 아웃풋이 존재한다. 영어를 그저 보고 즐기는 수단으로 삼지 않고 학생들을 위한 강의를 시작했을 때부터 내 인생이 달라졌다. 수년 동안 평일 주 2회 동료 원장님들과 영어라는 언어를 잊지 않기 위해 원서를 꾸준히 읽고 있다. 월 1~2회는 탄탄한 수업을 위해 이론과 교수법을 공부한다. 매일 규칙적인 시간을 영미권 방송과 유튜브를 보고 전화영어 화상영어 수업에 투자한다. 아이들을 가르치면서 내 세계관도 확장해 왔고 영어도 많이 늘었다. 수업하기 위해 노력했던 시간이 쌓여갈수록 모두 나의 실력으로 자리 잡았다. 날 것의 영어 실력만 가진 이십 대의 나보다 더 정확한 표현을 사용하며 말하고 체계적인 글을 쓸 수 있게 됐다.

언어를 배우는 길은 마라톤과 같다. 단계적으로 발달하는 언어 특성상 단기간에 효과를 볼 수 있는 부분보다 꾸준히 학습했을 때 볼 수 있는 효과가 훨씬 더 크다. 어학원과 입시 학원을 거치며 여러 레벨의 학생들을 가르치다 보니 아이마다 성향도 다르고 속도도 다르지만 역시 꾸준함과 노력은 아무도 못 이긴다는 생각이 여실하다. 모국어가 아닌 외국어 학습자로서 내가 아무리 외국 생활을 오래 했다고 해도 원어민과 완전히 같은 언어 구사 능력을 갖출 수는 없다. 하지만 영어(외국어)를 할 줄 알면 우리가 미래에 접할 수 있는 기회의 폭이 넓어진다. 스스로 영어라는 열쇠를 가지고 큰 기회의 문을 여러 번 열어봤던 원장으로서 세계를 무대로 나아가야 할 우리 아이들에게도 영어를 통해 학습 자신감을 키워주고 제대로 된 학습 습관을 갖도록 도와주고 싶다.

대형 학원에서 강사로 일할 땐 개인에게 필요한 부분을 채워주기 힘들었지만 소수 정예로 직접 수업을 진행하면서는 개별 집중과 관리가 가능해졌다. 그래서 내게 오는 아이들은 처음 배울 때부터 기초를 튼튼히 쌓아서 자라서도 영어 걱정이 없도록 여러 길을 돌아가지 않고 한 번 배울 때 잘 배울 수 있게 도와주는 역할이 나의 소명이라고 여기고 있다. 모국어가 한국어인 한국인으로서 낼 수 있는 최대한의 아웃풋을 내기 위해, 그리고 꾸준한 영어 공부를 통하여 아이들이 탄탄한 영어 기초를 세울 수 있도록 나와 학부모님과 아이들이 서로 합을 맞춰 3인 4각 경기를 했으면 좋겠다. 그리고 아이를 가운데에 두고 학부모님과 내가 양쪽 기둥을 맡았으면 좋겠다. 아이들에게 공부하라고 시키려면 기준이 제대로 잡힌 학부모님이 한쪽 기둥을 맡고 나는 그들을 동시에 믿음으로 받쳐주는 기둥이 되는 경기 말이다.

언젠가 지금의 학생들이 인생의 큰 흐름을 좌우하는 갈림길에 설 때가 오면 열심히 꾸준히 공부했던 영어가 그들의 선택에 있어 도움이 되기를 바라는 마음으로 나는 오늘도 아이들을 만난다. 아이들에게 내가 아는 영어에 관한 모든 것을 알려주는 것이 매 순간 내 인생에 최선을 다하는 길이라고 여기면서.

Chapter 3

신미선 원장 시점

글의 힘과
스며듦의 영향력

설렘과 긴장 그 어디쯤의 시작

사람은 누구나 태어난 이유가 있다고 생각하지만 가끔은 그냥 산다.라는 생각도 든다. 뭐가 맞는지는 나도 잘 모른다. 이유를 찾아가며 살아가는 것, 또는 그냥 사는 것. 아이들에게 하루하루 숙제를 내며 오늘 배운 것을 각자의 것으로 만들 수 있게 하는 일, 그 숙제를 해내는 일이 우리가 살아가는 모습이랑 닮아있다.

때론 미루고 싶고, 하기 싫지만 뭔가 깨닫게 되고, 내 것이 되어 성장해 있는 나를 보는 것. 가르치고 있지만 매일 배우고 있다. 내게 "참 잘했어요." 도장을 찍어주며 응원하기도 하고, 태평하게 늘어지고 게을러질 때면 외친다. "준비, 시, 땅!,"

아빠는 내가 학창 시절 때 종종 이런 말씀을 하시곤 했다. 돈이 있어야 친구도 만난다고. 친구가 나를 안 만나는 게 아니라 내가 친구를 안 만나게 된다고. 그땐, 나는 돈 없이 만날 수 있는 친구가 진정한 친구라는 생각이 들었다. 인간관계에 있어 돈은 그 어떤 지배도 할 수 없다는 생각이 확고했다. 40대의 시작! 지금 나는 그때의 아빠 말을 종종 떠올리곤 한다. 어쩌면 나는 그 어떤 것을 잃지 않기 위해 더 발버둥 치고 있는지도 모르겠다.

우리 집은 엄마가 하루라도 돈을 벌지 않으면 위태로웠다. 엄마 자신이 위태로웠던 거 같다. 엄마는 나를 집에서 낳았고, 나를 받은 뒷집 할머니께서 늘 내게 하시던 말씀이 기억난다. "내가 널 받았는데 이렇게 많이 컸네~ 엄마는 너를 낳자마자 찬물을 끼얹고는 바로 또 장사하러 나갔어. 나중에 아프면 어쩌려고 그러냐고 모두가 말려도 네 엄마를 누가 말리겠냐? 막내야 엄마한테 잘해라"

나를 보실 때마다 하신 말씀이었는데 지금도 그 목소리가 생생하다. 할머니의 별명은 빈대떡 할머니셨다. 시장에서 빈대떡을 만들어 파셨기 때문에 생긴 별명이라고 나중에 아빠가 알려주셨다.

빈대떡이 제대로 뭔지는 잘 모르겠지만 그때 먹었던 그 맛으로 그걸 기억하고 있다. 녹두전이나 다른 전들을 먹어봐도 내가 먹었던 빈대떡 할머니의 빈대떡이랑은 다르다. 할머니의 별명으로 내겐 더 친숙한 빈대떡. 할머니 댁엔 할아버지와 아들들 그리고 딸들이 있었지만 내 기억엔 늘 할머니는 혼자 계셨다. 매일 빈대떡과 막걸리 한 잔을 즐기며.

엄마의 모습도 다르지 않았다. 가족들이 많았지만 혼자 바둥바둥 세상에서 제일 바쁘고 외로운 사람.

연탄을 때던 그런 옛날 집에 딸 다섯 중 막내인 나는 애늙은이였다. 모두가 내게 애늙은이 같다고 했다. 그럴 수밖에 없었던 거 같다. 시끌벅적한 시장 안에 그네와 미끄럼틀은 없지만, 그 어디라도 내겐 놀이터였다.

내가 초등학교 입학을 앞두었던 어느 날, 큰언니와 둘째 언니는 성인이 되어서 다른 지역으로 독립했고, 두 언니와 나는 작은 아파트에 들어가 살게 되었다. 부모님은 계속 시장에서 일하셨고, 1시간 남짓 거리에 나와 언니들만 살게 되었다. 내가 알아서 밥을 챙겨 먹고 등, 하교도 혼자 했다. 숙제와 준비물도 알아서 챙겨야 했던 이때 난 겨우 8살이었다. 그 시간은 내가 중학교를 졸업할 때까지 지속되었다.

'누구라도 내게 관심을 주는 어른이 있었으면 좋겠다.'

어른이 필요할 때 나는 상의할 어른이 없었다. 너무 바쁜 부모님께는 얘길 할 수가 없었다. 혼자 잠드는 밤이 무서운 나는 늘 혼자였다. 그 기억 때문인지 아이들에게 친구 같은 어른, 손 내밀면 가까이에 있는 어른이 되고 싶다.

한 달에 한 번 정도 부모님이 오셨는데 하굣길에 우리 집 문이 열려있는 날에는 그렇게 행복할 수가 없었다. 복도 저 끝에서 열린 우리 집 문이 보이면 마치 100미터를 10초 만에 달릴 것처럼 달리며 "엄마~"를 외쳤다.

엄마는 나만 보면 아프지도 않은데 빨간 물약을 먹이곤 했다. 그거 빼고는 엄마가 좋았다. 훗날 알게 된 거지만 내 위에 오빠가 한 명 있었는데 돌 무렵 갑자기 하늘나라에 갔다고 그래서 내가 갑자기 아플까 봐 그렇게 약을 먹였구나 싶었다. 아마도 엄마는 그 후로 본인을 잃어버리고 살았던 게 아닐까 싶다. 자식을 잃어버리는 슬픔을 감당하기란 정말 힘든 일일 것이니 말이다.

엄마가 오면 난 늘 짜장면 먹고 싶다고 졸라대곤 했다. 절대 돈 안 쓰는 엄마였지만 어린 나만 거기 둬서 미안해서였는지 내 말은 들어주셨다. 하지만 단 한 번도 두 그릇을 시킨 적은 없었다. 꼭 한 그릇만 시키시곤 엄마는 밥 먹었다고 배부르다고 하셨다.

배고픈 시절의 짜장면, 무슨 노래 가사 같지만, 그럴 때마다 나는 늘 조금만 먹고 배부르다고 남겼다. 내가 남겨야 엄마가 드시기 때문이다. 사실 나는 짜장면을 좋아하지 않는다. 내가 먹고 싶다고 해야만, 그래야만 엄마가 먹을 수 있게 되는 짜장면이라서 매번 시켜달라고 졸랐다. 엄만 짜장면을 참 좋아하셨다.

내게 늘 따뜻했던 엄마는 비가 오나, 눈이 오나 장사를 했고, 밖에서 잠을 자기까지 했다. 가끔 나는 그 옆에서 같이 자기도 했다. 엄마의 팔베개와 커다란 배는 세상 가장 편안한 잠자리였다.

예쁜 옷, 예쁜 핀 하나 사 주지 못하며 키운 딸이라 미안해서였을까? 그런 거 사는 재미에 딸 키우는 것인데 사 주는 기쁨이 엄청 크다는 것을 아는데 그걸 한 번도 못 해 본 엄마가 참 불쌍하다.

우리 집에서 내 별명은 63빌딩이었다. 어릴 때부터 내가 엄마에게 63빌딩을 사 준다는 말을 자주 했다고 한다. 아이스크림 사 먹게 돈 달라고 하면 엄마는 내게 십 원짜리를 줬다. 그럼 나는 대뜸 할아버지 있는 거 달라고 그렇게 생떼를 났다고 한다.

한글을 잘 몰랐던 엄마에게 한글을 가르쳐 줄 때면 엄마는 내게 "선생님 돼서 63빌딩 사게 될 거야"라는 말을 했었다. "선생님이 되어서 63빌딩을 어떻게 사지?" 전혀 연관이 없어 보이지만 엄마는 엉뚱한 말을 잘했다. 아주 작은 거에도 "우리 63빌딩이 최고야."라며 내가 성인이 되어서까지도 그렇게 부르곤 하셨다. 내가 무엇을 하건, 믿어주셨고, 응원해 줬다. 단 한 번도 내게 하지 말라는 말을 안 하셨다. 바쁜 부모님이셨지만 그래서 혼자인 시간이 많았지만, 이런 엄마의 사랑이 나를 따뜻하고 긍정적인 사람으로 만들어 준 거 같다.

비록 자신을 위해선 짜장면 한 그릇 사 먹는 것도 허락되지 않고, 딸들을 위해 예쁜 옷 한 벌, 머리핀 한 번 사 본 적 없는 엄마였지만 따뜻했다.

글의 힘

학창 시절 반성문 쓸 일이 있었는데 선생님께서 엄청 화를 내시다가도 내 반성문을 보시고는 금방 너그러워지셨다. 그 후 백일장 대회가 있을 때마다 나를 내 보내 주셨고, 대학 진학도 글 쓰는 과에 가라는 추천해 주셨다. 자신이 없었지만 내 마음속 저 깊숙한 곳에선 외치고 있었다. '분명 시인이 될 거야.' 아쉽고 아, 쉬운 나의 짧은 글들이 결국 나를 이끌었다.

다른 공부는 어려웠는데 국어와 영어는 재미있었다. 야간 자율 학습 시간이 힘들고 지루했지만, 그 시간에 시를 쓰거나 단어 외우는 게 좋았다.

영어 교과서에 나오는 회화 본문 전체를 외워, 상상 속에 외국인과 대화하곤 했다. 그 상상 속의 외국인은 그 시절, 내가 좋아했던 영화 노팅힐의 남자 주인공, 휴 그랜트의 미소를 가진 남자였다. 영화 속 대사를 다 외울 만큼 돌려봤던 영화, 훗날 나의 결혼식 신부 입장곡으로 노팅힐 OST 'She'를 틀었다.

대학 진학을 앞두고, 선생님의 지지대로 나는 문예 창작학과를 선택했다. 막상 입학하고 나니 어려웠다. 나만 빼고 모두 글쟁이 같았고, 내가 제출한 글에 대한 평가가 두려웠다. 나의 자신감은 '분명 시인이 될 거야'라고 외쳤던 이 소리 없는 내 마음속 외침을 이젠 들리지도 않게 사라지게 했다. 일찌감치 내 능력의 한계를 느꼈다. 어쩌면 노력해 보지 않고서 금방 포기해 버렸는지도 모르겠다. 그래서인지 계속 미련으로 남아 있다. 글이 내게. 아직도 여전히.

이렇게 자신감 없어지고 우울해질 때면 나는 디즈니를 본다. 어떤 치료법보다 가장 효과가 있다. 알라딘, 라이언킹, 라푼젤, 등등 1년에 한 번씩은 봤어도 또 본다. 같은 작품이지만 나의 어떤 시기별로 받는 느낌과 감동이 다르게 다가오는 어린 왕자를 참 좋아하는데 디즈니의 모든 것도 내게는 그렇다.

10대 때는 그저 재미있었다면, 20대에는 깨달음을 얻었고, 실천하게 하는 용기를 주었다. 30대에는 타인을 바라보는 다양한 시선과 이해의 넓은 그릇을 갖게 해주었다. 글이 주는 가르침은 인생 순간순간마다 그 힘이 참 대단하다.

알라딘이 재스민 공주에게 양탄자에 올라 탈것을 권유하며 손을 내밀었을 때 재스민 공주는 진짜 양탄자가 날 수 있을지에 대한 의심과 알라딘이 어떤 사람인지 모르니 걱정이 앞선다. 그래서 망설인다. 그때 알라딘이 말한다.

"Do you trust me?"

그 말 한마디에 힘이 나도 전해졌다. 그 말을 듣고 재스민은 조금의 망설임도 없이 "Yes"라고 하며 알라딘의 손을 잡는다. 양탄자는 정말 하늘을 날며 넓게 펼쳐진 양탄자 아래로의 세계는 아름답게 펼쳐진다. 그리고 노래가 흐른다.

"I can show you the world "이 노래는 나의 결혼식 때 축가였다.

한 사람의 태어남과 죽음 사이의 여정, 그 여정의 시나리오는 나 스스로가 완성하며 살아간다. 정해져 있는 운명도 분명히 있을 것이다. 모두가 안전하고 행복하게 살고 싶지만 가끔은 그렇지 않은 일도 많이 생기기 때문이다. 내가 만들 수 없는, 신의 영역은 매 순간에 있다. 내가 할 수 있는 건 그저 적절한 감동의 이야기와 적절한 OST를 추가하며 해피엔드를 기대해 보는 것뿐.

벚꽃이 만발했던 캠퍼스를 거닐다 연극 동아리 단원들을 모집한다는 포스터를 보았다. 아! 내가 잘하던 게 있었지. 하고는 나는 동아리에 들어갔다. 동아리 생활이 재미있었고, 생각해 보니 고등학교 때도 연극을 했었다. [아름다운 사인] 시체 검사실을 배경으로 모두 같은 날, 같은 시각 자살한 여섯 구의 시체들과 대화를 이어가는 검시관 역할을 했었다.

왜 자살했는지, 살았을 땐 어땠는지, 여자들의 인생에 대한 사회적 모순과 조금은 무거운 주제의 작품이었다. 대사 하나하나가 아직도 기억에 남아 있다. 대학교 때는 러브레터를 했는데 이 연극은 그냥 낭독의 무대라고 해야 할까? 연기적인 어떤 활동은 없었지만, 글과 목소리의 힘만으로 이야기의 감동을 전하는 방식이 색다른 연극이었다.

다른 사람을 연기해 보며 다양한 삶의 모습을 경험해 보는 게 좋았다. 참 매력적인 활동이었다. 내게.

아무리 긴 대본이라도 잘 외웠고, 대사도 틀리지 않았다. 노래 연습을 밤새도록 하며 상대 배우들과의 호흡을 맞추는 것도 시간 가는 줄 모르고 무대에 섰던 내 모습이 좋았고, 짜릿했다. 대학 생활 4년 내내 연극 무대를 올리고 홍보, 연출, 시나리오 공부도 게을리하지 않았다.

무대에 오르는 건 가슴 벅차고 흥미로운 일이었다. 다양한 대사들의 그 말과 글의 강한 힘을 느낄 수 있었다. 내 나이가 26이던 해, 유시민 작가님의 항소이유서를 읽어 보며 같은 나이 때 이런 생각과 다른 경험에 나오는 그 사람의 글이 참 경이롭게 느껴졌다. 여전히 놀랍다. 글의 힘이.

변화

졸업 후 학원에서의 아르바이트를 시작으로 바로 취업을 나갔다. 학원 취업으로는 학교에 서류 제출이 단순 아르바이트라서 어려웠다. 그래서 공고 뜬 어느 곳이든 이력서를 보냈고, 학습지 회사에서 연락이 왔다. 면접을 보고 며칠 지나지 않아 바로 출근하게 되었다.

나의 첫 사회생활이 시작되었다. 30년이 넘은 이 교육 회사는 교사 교육이 철저하고 대단했다. 대학에서 아동 벤처 산업학과 부전공을 해서 어느 정도 교육을 알고 있다고 생각했는데, 그건 그냥 이론적인 것뿐이었다. 그때 배운 아동 미술치료나, 아동학 개론이 바로 와닿진 못했다. 그런데 회사에서의 교육은 현장에서 필요한 것들이 많았다. 교사 교육에 힘썼던 회사 덕에 차곡차곡 나는 교육자로서 아이들의 이해와 지식을 쌓아갔다.

이 큰 회사는 한 사람이 한 집에 과외하러 다니며 시작되었다. 그냥 과외 선생님으로 그칠 수 있었겠지만, 교재를 만들고 사람들에게 나의 노하우를 전수하는 작은 변화로부터 오늘날 이렇게 큰 회사가 되었다. 서울에 본사 건물, 63빌딩 같은 건물을 보며 느꼈다.

엄마가 한 말이 맞네. 선생님이 되어서 63빌딩을 산다는 게 이런 거구나. 싶었다. 교육사업은 아이가 있는 어느 곳 어디든 성과가 있을 것 같았다. 특히, 자식 교육에 2등이라며 서러워할 우리나라에서는 더 가능성을 보였다. 그래서 오늘날, 대치동이 존재하는 게 아닐까? 다만, 아이의 창의성과 잠재력을 기다려 주는 것, 여유를 조금 갖는다면 더 좋을 것 같다. 특히 영어는 바로 어떤 성과가 나타나지 않기 때문에 더 조마조마한다. 가르치는 선생님은 더 그렇다. 기다림의 여유 그걸 아이들에게 느끼게 해준다면 더 멋진 교육을 받을 수 있을 것 같다.

나는 회사에서 배울 수 있는 건, 게을리하지 않고 다 배웠다. 그 긴 세월 회사의 이런 영향은 하루아침에 괜히 이뤄지는 게 아니었다. 뭐든 그렇겠지만.

매주 내가 오는 시간이면 1층 현관 앞에 쪼그리고 앉아 나를 기다리던 세 자매 아이가 있었다. 그 아이들은 지난주에 했던 영어 수업에 대한 부분을 모두 기억하고 있었다. 특히 막내는 동화 부분을 연기하며 말했다. 내게 잘 보이고 싶은 마음도 있었던 아이들은 열심히 공부하고, 나를 잘 따라줬다. 나도 그 아이들에게 잘 보이고 싶어서 노력했다. 7살이던 막내 학생이 영어 하는 그 모습이 얼마나 귀엽고 이뻤는지 아직도 내 기억엔 생생하다. 지금쯤은 성인이 되었겠지?

이런 아이들의 모습을 보고 유아기에 영어는 뮤지컬 영어나, 동화, 동요로 익히게 하는 것이 참 좋다고 생각했었다. 백지장 같은 아이들에게 그림을 그리고 예쁘게 색칠하고 완성해 나가는 모습. 이 과정을 나는 더 멋지게 해내고 싶었다. 이 아이들이 나의 일에 열정을 불어넣어 줬다. 전 과목을 다 가르쳤는데 나는 영어 수업이 특히 재미있었다.

내가 첫 수업을 할 때 세 자매네 집에 큰아이가 5학년이었는데, 그 아이가 중학생이 될 무렵, 그곳이 재개발되었다. 오래된 5층짜리 빌라들은 다 없어지게 되었고, 재개발을 반대한다는 빨간 글씨에 무서운 낙서들과 조용한 날이 없었던 동네가 적막해지던 날, 그 아이들의 집도 이사를 했다.

그쯤 나도 지금 아니면 안 될 것 같다는 생각에 오로지 영어 공부에 집중하고자 외국으로 떠나기로 마음먹고 일을 그만두었다. 일도 할 수 있고, 공부도 할 수 있는 비자가 딱 필요했는데 마침 워킹홀리데이 비자라는 게 있다고 해서 나는 호주, 멜버른으로 가기로 했다.

가족들과 친구들에게 얘기하고 거의 한 달 만에 바로 비행기를 탔다. 비행기를 타기 전날, 엄마는 속상해하며 걱정하셨지만, 늘 그렇듯 내가 내린 결정엔 이유가 있을 거라 말씀하셨다. 내가 28살 때 본격적으로 영어 선생님이 되기 위한 나의 여정이 이렇게 시작되었다.

기회

멜버른에 도착하자마자 백패커에 1주일 치 방값을 내고 당장 내일부터 뭘 할지 계획을 세웠다. 일단 일자리와 집을 구하고 학교도 알아보기로 마음먹고, 매일 아침 이력서를 들고 시티 한 바퀴를 돌아다녔다. 일주일이 다 되어가는 5일째 되던 날 마음이 조급해진 나는 조금 거리가 있더라도 괜찮다는 생각으로 시티를 좀 벗어나서 걷기 시작했다.

시간이 얼마나 지났는지도 모르고 걸었다. 어둑해지기 시작했고, 한 태국 식당을 지나는데 마침 아르바이트를 구하고 있다는 종이가 식당 문에 붙어있었다. 용기를 내서 문을 열고 "Hello I'm looking for a job. Is there any position for me?"라고 말하고는 멋쩍게 웃었다. 마침 사장님이 나오셨고 사장님은 한국 사람이셨다. 이런 인연이 있을까? 신기했다.

이력서를 내고 온 바로 다음 날부터 나오라고 하셔서 바로 출근했다. 그렇게 첫 출근 후 멀지 않은 곳에 방도 구했다. 아파트 한 집을 방마다 세를 주거나, 방 한 칸을 두 명이 쓸 수 있게 세를 주는 구조였다. 방값을 조금 아끼기 위해 나는 두 명이 쓰는 방을 계약했다.

다행스럽게도 룸메이트와 나는 소울메이트 같은 사이가 되었다. 시설도 깨끗하고 트램 정류장 바로 앞이라 좋았다. 둘이 쓰는 방이긴 하지만 침대와 책상, 모두 따로 되어 있어서 불편하지 않았다.

나의 룸메이트는 같은 한국 사람이고 이제 막 스무 살이 되어 멜버른으로 대학에 다니기 시작한 학생이었다. 우린 낯선 타지에서 금방 가족 같은 사이가 되었다. 나를 언니처럼 대해주며 마트 가서 음식을 사 올 때면 꼭 내 빵과 우유까지 사 다 주는 고마운 동생이었다.

우린 밤마다 어린 왕자 원서를 한 쪽씩 읽으며 잠들고 서로 영어로 대화하며 공부했다. 나는 외국 가면 그냥 갑자기 툭 하고 영어가 나올 줄 알았는데 '조금 더 공부하고 왔어야 했는데….'하는 후회가 가득했다.

무슨 자신감에 이렇게 공부를 안 하고 왔을까? 여기선 말할 상황이 많이 생기니, 인풋을 가득 담고 온다면 도움이 된다. 언어는 사용해야 내 것이 되니 말이다.

그레머인유즈책을 베이직부터 전체 필사하며 공부했다. 그 책은 문법책이지만 나는 회화책 같았다. 예문의 모든 내용을 외우고 사용해 보고 내 언어로 만들었다. 한참 미드에도 빠져서 [덱스터][모던 페밀리] 밤새도록 보기도 했다. 전 시즌을 다 보려니 정말 길었다. 그 긴긴 시즌을 너무 재미있어서 결국은 다 봤다.

태국 식당의 일은 나의 회화에 큰 도움을 줬다. 나와 사장님만 한국 사람이었고, 모두 영어를 잘했다. 내가 주문을 받다 막히거나, 어떤 말을 못 알아들으면 다른 친구가 바로 내 뒤에 서 있다가 도와주고 내가 못 들은 단어를 적어주고는 익히게 도와줬다.

한국에서 학원과 학습지 교사로 아이들을 가르쳤던 경험을 이야기하니 사장님께서 딸아이에게 한글과 영어를 가르쳐 달라고 부탁받았다. 엄마는 태국 사람인데 아빠보다는 엄마와 있는 시간이 많다 보니 태국어만 하려고 한다고 고민이 크셨다. 그 아이를 시작으로 나는 다른 두 명의 아이를 더 수업했다. 새벽에는 새벽 청소를 하고, 태국 식당 일과 과외 나는 금방 돈을 모았고, 학교에 등록했다.

매일 일만 하던 내게 그렇게 학교생활이 시작되었다. 아르바이트를 조금 줄이고 매일 아침 9시부터 2시까지 열심히 수업을 들었다. 말 많고 바람기 잔뜩인 이탈리아 남자 친구, 속을 모르겠는 일본인 여자 친구, 온몸에 매너를 장착한 멋있는 독일 남자 친구, 내게 왜 매일 아르바이트 가느라고 바쁘냐며 자기네 나라에서는 용돈을 준다는 아랍 남자 친구, 순수한 대만 친구들, 우린 다 나이는 다르지만 같은 반 친구들이었다. 모든 것이 신기하고 즐거웠다.

원어민들과 대화할 때는 오히려 뭔가 더 잘 통했는데, 함께 공부하는 친구들과의 대화는 어려웠다. 원어민들은 본인들의 모국어를 말하니 내가 말하다 막히거나, 틀려도 금방 알아차리고 거기에 맞는 단어와 문장을 다시 말해 줘서 뭔가 답답함이 없었다. 그런데 함께 공부하는 친구들은 모두 영어가 부족했고 공부하던 사람들이라 그런지 대화에 좀 더 어려움이 있었다. 나는 이 친구들과 함께 있는 것이 즐거워서 더 열심히 공부했다. 외국어를 할 땐 둘 중한 명은 모국어 수준이어야 소통이 편하다. 둘 다 못하면 소통이어렵다.

위층엔 쿠커리 반이 있었는데 하루는 당근 케이크를 구웠다며 우리 반에 가져왔다. 그때 처음 당근 케이크가 이렇게 맛있는 거였나? 하고 깜짝 놀랐다. 쿠커리 반 학생들 덕분에 매일 빵 굽는 냄새에 베이킹에도 관심을 갖게 되었다. 그때 맛보았던 컵케이크와 당근 케이크의 맛을 잊을 수가 없다.

준비된 자에게 기회가 온다는 말이 있는데 나의 경우엔, 내 삶의 순간순간이 기회 같았다. 매일 새로운 아침이 내게 주어지는 기회, 사람들을 만나는 기회, 일이 생기는 기회. 어쩌면 당연하다고 여기는 모든 것들이 삶이 우리에게 주는 매 순간의 기회이다. 이 기회들을 내 것으로 나의 값진 시간으로 잘 사용해 가는 것이 내 하루하루이다.

아침엔 마트가 있는 쪽으로 걸었다면 오후엔 버스정류장 쪽으로 걷는 걸 좋아하는 나는 매일 새로운 기회를 찾아간다. 버스를 타고 갔던 길을 한번은 트램을 타고, 또 시간이 많은 날은 걸어 다녔다. 걷는 길 곳곳마다 미술 전시, 플리마켓 늘 좋은 구경거리가 있었다. 트램 역 근처마다 써브웨이가 있었고, 써브웨이 냄새가 좋았다. 맛있어서 써브웨이를 좋아하기도 했지만, 일부러 더 자주 가서 주문하고 먹었다. 어디든 나의 영어 공부를 위한 놀이터였다.

스타벅스나 식당에서 주문하면 이름을 물어보는 곳이 많았다. 처음에 그게 어색했지만, 나중에는 내가 신미선이라고 하면 늘 되물어서 그냥 신디라고 주문했다. 그때부터 내가 Cindy가 되었다. 요즘은 우리나라에서도 스타벅스에서 주문하면 이름을 불러 음료를 건네주는데 난 이게 참 좋았다.

길 가다 눈이 마주치면 모르는 사람이지만 미소로 인사를 건네고, 내 이름을 기억하고 불러주는 게 참 따뜻하게 느껴졌다. '정'은 한국의 문화라고만 생각했는데 외국에서도 나는 느꼈다. '정'을.

나는 낯선 모든 것들을 제대로 즐길 줄 아는 사람이었다. 언어도, 사람도, 사랑도.

영향력

호주에서 1년의 시간을 공부하며 아르바이트도 하고 안정적인 시간을 보내고 있던 찰 날, 나는 3개월 정도 토마토 농장으로 떠나기로 마음먹었다. 비자 연장을 위해서였지만 농장 생활의 경험은 꼭 해봐야 한다는 말을 들었었다. 모든 것이 익숙해지고 안정적인데 다시 떠나려니 한국에서 멜버른으로 올 때 보다 더 걱정되고 긴장되었다.

하지만 이곳에서 할 수 있는 모든 경험은 다 해보고 싶었다. 공부만 하기에도 모자란 시간이었지만, '다시없을 이 시간! 후회 없이 다 해보자!'라는 마음으로 나는 또 떠나기로 했다.

하고 있던 일과 모든 걸 정리한 후 프로서파인이라는 작지만, 거대한 토마토 농장이 있는 곳으로 떠났다. 떠나기 전날 룸메이트가 나에게 준 비상금 100달러와 편지를 기차 안에서 보며 마음이 무거웠다. 그냥 동생을 혼자 두고 온 느낌이랄까? 모르겠다. 그때 그 마음이 지금도 슬프다. 어쩌다 연락이 끊겨서 어디서 어떻게 지내는지 아직도 그 동생이 궁금하다. 나처럼 엄마가 되어 있을지? 아직도 멜버른에 살고 있을까? 손가락으로 3, 2, 1. 을 표시하며 이렇게 하면 자기 생일을 기억하기 쉽다면서 "3월 21일 내 생일 잊지 마!"라고 말했던 그 목소리가 생생하다. 정말 기억하기 쉬웠다.

기차 타고 다시 또 버스 타고 한참을 와서 도착한 토마토 농장은 끝이 보이지 않을 만큼 넓었다. 농장 안에서 이동은 모두 차를 타고 이동해야 할 만큼 넓어도 진짜 그렇게 넓을 수가 없었다. 아마 우리나라의 한 도시 전체가 그냥 다 농장인 것 같았다. 토마토 농장의 방값은 시티 중심가의 방값만큼 비쌌다. 이유는 토마토 농장 일이 돈을 많이 벌 수 있다는 것이다. 하지만 일이 정말 괴롭고 힘들었다.

이때 얻은 허리 고질병은 지금도 지니고 있다. 살며 이 정도의 노동 강도는 처음이었다. 농장 일을 하는 사람들은 거의 한국 사람들이었고, 나중에 안 사실이지만 그 농장은 가장 힘들기로 유명한 곳이었다. 유럽이나 다른 나라 사람들은 못 버틴다고 그 농장주는 무조건 한국 사람들만 고용했다고 한다.

우린 해가 뜨기 전에 나가서 어둑해지기 시작할 때 숙소로 돌아왔다. 물 두 통을 얼려 들고 출발해서 돌아오기 전까지 누구도 밥을 먹는 사람이 없었다. 먹지 않고, 쉬지 않고 토마토를 땄다. 딴 만큼 돈을 벌어가는 거라서 모두 죽기 살기로 일을 했다. 특히 한국 남자들은 한 바켓을 채우는 데 10초도 안 걸렸다. 손이 보이지 않았다. 역시 의지의 한국인.

비가 오는 날이 휴일이었다. 비가 오면 토마토를 딸 수 없는데 난 속으로 비 오는 게 좋았다. 너무 힘들어서 쉬고 싶었다. 그런데 무슨 비가 한번 왔다 하면 그치질 않고 한 달 내내 내리는 것이었다. 쉬는 날이 길어지자, 농장에서 친해진 친구들과 모여 영어 스터디를 시작했다. 우리끼리 공부하고 서로 선생님이 되어주는 그런 스터디 모임을 했다. 이때 시작한 팝송 한 곡씩 마스터 하기를 나는 지금 내가 가르치는 학생들과 하고 있다. 모든 경험 들은 좋은 씨앗이다.

한 명씩 돌아가면서 수업 플랜을 짜고 선생님이 되어 다른 사람들을 가르치며 수업했다. 나는 상황별 회화를 써오고 같이 연극하듯 수업했다. 함께 공부했던 스터디 친구들이 모두 내 수업이 특히 재미있고 유익했다고들 말해줬다. 나는 배우는 것도 좋았는데 늘 티칭 스킬을 고민하며 연구했다. '아 저 친구는 이렇게 가르치네, 저 선생님은 이렇게 수업하네.' 어떤 방법이 언어를 익히는 가장 효율적인 방법일지, 내가 공부해야 하는 시간에도 그 고민을 많이 했었다. 내 이런 고민은 테솔 공부할 때 큰 도움이 되었다.

어느덧, 3개월의 시간이 지났다. 우린 각자 다음 일정을 향해 떠났다. 한국으로 돌아가거나, 다른 도시로 이동했다. 나도 시드니로 이동했다. 농장에서 가장 친했던 한 살 어린 동생이지만 나의 베스트 프랜! 소울메이트 혜진이는 아직 농장에 남아 있었다. 내가 시드니에 온 바로 다음 날, 혜진이게 전화가 왔다. "내가 벌써 그리운 거야?" 하고 웃었는데 내 웃음 너머로 혜진이는 울고 있었다. 너무 울어서 말도 제대로 못했다. 무슨 일이냐고 나는 다급히 물었고, 함께 지내던 다른 친구가 교통사고가 났다고 했다. 듣고도 믿을 수가 없었다. 바로 어제까지 즐겁게 놀고, 바로 어제까지 대화했던 우리였는데….

함께 공부하던 시간, 녹초가 될 때까지 일하던 시간이 떠올랐다. 눈에 고인 눈물 때문에 앞이 안 보였다. 그 눈물이 왈칵 쏟아지고 정신을 차렸다. 곧바로 혜진이가 있는 농장으로 다시 향했다. 사고가 난 동생은 3개월 동안 모은 돈으로 차를 샀고, 그 차를 몰던 첫날 사고가 생겼다. 아무런 외상도 없는데 목이 삐끗해서 바로 잘못되었다고 했다.

운명이란 게 있을까? 예정된 일일까? 왜 이런 불행이 이 친구에게 온 걸까? 하늘이 있을까? 불공평하다. 모두에게 주어지는 내일이, 새로운 시간이 이 친구에겐 왜 주어지지 못하는 걸까? 내 끝없는 질문과 의문들에 삶이 이렇게 허망할 수가 있다니… 바로 다음 날, 소식을 접한 그 가족들을 내가 맞이해야 했다. 하루아침에 아들이 죽었다는 소식에 비행기를 타고 오는 내내 가족들은 어떤 심정이었을까? 나는 감히 상상조차 할 수 없다. 공항에서 기다리고 있는 동안 어떤 말씀을, 어떻게 설명해 드려야 하는지도 생각했다.

공항에 도착하신 후 나를 보자마자 쓰러지시며 넋 놓고 우셨던 그 어머님을 잊을 수가 없다. 땅은 꺼질 것 같았고 하늘이 날 짓누르는 것 같았다. 시신은 비행기에 못 태운다, 장례는 여기서 치러야 한다. 등등 우리에게, 그 가족들에게 그때 그 시간은 지옥이었다. 일주일 만에 모든 건 원래 상태로 돌아왔다. 장례를 모두 치렀고, 가족들이 챙겨 갈 그 친구의 짐도 별로 없었다. 창원에 살고 있으니, 언제 한번 꼭 놀러 오라는 말씀을 남기시고 한국으로 가셨다. 혜진이와 나도 각자의 다음 일정으로 돌아갔다.

나는 시드니로 다시 넘어왔고, 내게 주어진 하루하루가 소중했다. 내일 갑자기 죽게 되더라도 미련 없이, 슬프지 않게, 순간을 소중히 여기며 살기로 다짐했다. 시드니에 있는 친구들도 만나고 한동안 쉬었다. 곧 한국에서 언니가 한 달 정도 휴가 내고 온다고 해서 여행 계획을 짜며 기다리고 있었다. 비행기 도착시간에 마중 나가 있는데 언니 마중을 위해 기다리고 있던 이때는 행복했다. 언니가 왔고, 우린 호주 지도 절반을 모두 여행했다. 지역마다 색다른 느낌이었고, 어디를 가나 그림 같았다. 특히 호주 지도 가장 아래 위치한 작은 섬 타즈매니아를 여행할 때가 좋았다. 힘들게 오른 산 위에 와인잔 모양으로 펼쳐진 큰 강의 모습은 내 눈이 맑아지게 하는 것 같았다. 그리고 내려오다 다른 길로 가니 붉은 돌에 푸른빛으로 반짝이는 바다가 펼쳐졌다. 바닷가로 뛰어가니 숲속에서 작은 새끼 캥거루가 살며시 나와 언니에게 뛰어왔다. 야생 캥거루를 만나면 행운이 있다는데 너무 귀엽고 좋았다.

한 달 동안에 여행이 끝나고 언니는 회사에 다시 출근하기 위해 먼저 한국으로 들어갔다. 나도 한 달 후 가족들이 보고 싶어서 한국으로 왔다. 빈털터리가 되었지만, 넓어진 내 시야를 느낄 수 있었다. 다시 시작하면 되지 뭐. 가족들과 시간을 보내고 한 달 후 다시 비행기를 탔다. 이번에는 언니와 여행하며 좋았던 곳, 태즈매니아로 향했다. 공부하기 정말 좋은 곳이었다. 조용하고 자연이 멋스러운 곳. 어딜 가도 모두 작품이었다.

그 후 1년 동안 공부에만 전념했다. 그리고 한국으로 돌아왔다.

나의 이름 일지

　한국으로 돌아오고 보고 싶었던 친구들을 만났다. 2년이란 시간이 짧다고 생각했는데 많은 변화가 있었다. 친구들에겐 사회적 직위, 아내, 엄마, 등등 새로운 이름들이 생겼다. 긴 시간이었나 보다.

　나는 이제 취직하고 다시 시작해야 하는데 벌써 서른이었다. 서른, 긴 생머리의 또각또각 구두를 신고 당당히 걷는 그런 커리어 우먼의 내 모습을 상상했었다. 지금 내 모습은 단발머리에 운동화를 신은 백수. 허리가 아파서 구두는 신지도 못한다. 자신 없어진 나를 위해 외쳐본다.

　"The sky is limit."

　하늘이 한계점이다. 뭐든 가능하다는 말이다. 뭐든 못 할 게 없다는 이 말을 외치며 사회생활을 시작했다.

　캐나다 교육 프로그램을 기반으로 수업하는 한 대형 학원에 입사했다. 6살 유치부 담임을 했고, 3시에 유치부가 하원하고 나면 초등부 수업을 했다. 원어민들과 함께 일하며 그들의 티칭 방식을 배울 수 있어서 좋았다. 1년 정도 일하다 결혼을 앞두고 일을 그만두었다. 남편의 직장이 1시간 남짓 거리의 다른 지역이기 때문이었다. 다른 지역에 살게 된 것이 재미있고 좋았다. 나는 낯선 것을 잘 즐기니깐.

　결혼하니 아내라는 이름이 생겼다. 어른이 된 것 같았고, 지금까지의 생활과는 전혀 다른 새로운 인생이 펼쳐졌다. 가족들과는 분리된 느낌이지만 든든한 내 편이 생겼고, 혼자가 아닌 기댈 수 있는 곳이 있어서 좋았다. 소소한 아내 놀이도 잠시, 집 근처 세종에 있는 한 대형 학원에 취직했다. 상담실장으로 입사했기 때문에 학원의 전체적인 시스템과 커리큘럼을 누구보다 잘 알고 있어야 했다. 열정적으로 일했다. 매일 퇴근 후 학원에 관한 책들을 집에 가져가 모두 외우고 열심히 공부했다.

내가 처음 입사했을 때는 100명 정도의 학생들이 있었는데 퇴사할 즈음에는 거의 두 배의 학생들이 있었다. 브랜드의 힘이 대단한 것 같았다. 영어를 잘하는 상위 1% 아이들이 대부분 모여있는 학원이었다. 디베이트 수업을 참관하던 날, 사용하는 고급 어휘와 본인 의견을 강조하기 위해 주먹으로 책상을 툭 치며 진지한 표정으로 당당히 막힘없이 말하는 아이들을 보고는 정말 놀랐다. '이런 아이들이 국제고를 가고 하버드를 가는구나!' 하는 생각이 들었다.

반면, 초등부 아이들이 단어를 외우는데 한국말로도 무슨 뜻인지 모르는 단어들이 많았다. 나이에 맞지 않는 어려운 단어들을 힘겹게 외우는 아이들을 보고 조금 안쓰러웠다. 또 매달 시험이 있는데 일부 학생들은 그 시험을 통과하기 위해 따로 영어 과외를 받기도 했다. 얼마큼 시켜야 하는 것이 맞을까? 아이들 각자 소화하는 능력이 다르기에 그저 잘 소화할 수 있는 정도로, 그저 행복할 수 있는 정도로 교육한다면 더 좋은 교육이 될 것이다.

1년쯤 지나 임신했는데, 두 번이나 유산 경험을 했다. 그리고 그 다음에 임신 사실을 알았을 땐 바로 일을 그만두었다. 이 아이는 어떻게든 잘 지키려고 집에 가만히 누워만 있었다. 입덧이 심했지만 그림도 그리고 책도 많이 읽고 태교를 정성껏 온 마음 다해 열심히 했다.

처음엔 쌍둥이였지만 초기에 한 명은 자연유산이 되었다. 그래도 한 명의 아기는 건강히 무탈하게 잘 자랐다.

설렘과 걱정 가득했던 열 달이 지났고 나는 아기에게 연우진이란 이름을 줬고, 아기는 나에게 엄마라는 이름을 선물해 줬다. 엄마가 된 나의 이름이 지금까지 그 어떤 이름보다 아름답고 행복하다.

아기와 행복한 시간도 잠시, 돌 무렵이 되었을 때, 아기를 어린이집에 보내고 집에서 공부방을 시작했다. 바로 윗집에 사는 6학년 학생을 시작으로, 아기 어린이집 원장님 딸아이와 그 어린이집 선생님의 딸들을 가르쳤다. 이렇게 나만의 브랜드가 있는 영어 공부방이 시작되었다.

점점 학생들이 많아지니, 집이 너무 작게 느껴졌다. 그래서 마땅한 곳을 찾아보러 다녔는데 마침, 바로 옆 아파트 1층 어린이집 하던 집이 비어있었다. 바로 계약했고, 괜찮은 영어교육 프로그램을 찾기 위해 출판사 별로 진행하는 세미나는 거의 다 다녔다. 그러던 중, 스토리 책이 마음에 들어 한 회사와 가맹해 그 교재를 사용하기 시작했다. 책상과 편안한 의자들로 거실을 가득 채우고 학부모 설명회를 진행했다. 비록 단 세 분이 오셨지만, 본격적으로 시작했다.

아이들은 영어를 좋아했고, 나를 잘 따라줬다. 선생님, 엄마, 아내의 역할을 해내며 나는 가르치고 배우며 성장하고 있었다.

엄마의 엄마가 되어

시원한 바람과 따뜻한 햇살이 유난히도 찬란했던 가을날, 날이 참 좋았는데…. 유난히도 좋았던 그날. 엄마가 쓰러졌다.

어깨 통증으로 고생하던 남편이 수술받기 위해 병원에 입원했다. 남편을 돌보기 위해 세 살 된 아기 우진이를 부모님께 봐달라 우리 집으로 모시고 왔다. 당연한 얘기지만 부모님은 손자 우진이를 아주 예뻐하셨다. 하루에도 몇 번씩 영상통화를 했고, 우리 집에 잘 안 오시는데 우진이가 태어나고 자주 오셨다. 엄마는 우진이에게 늘 깎아놓은 알밤보다 예쁘다고 말했다. 그 조그마한 아기의 배크기가 크면 얼마나 크다고, 잘 먹는다며 시도 때도 없이 먹을 것을 주었다.

우진이는 이제 막 말하기를 시작했고, 주는 대로 뭐든 다 잘 먹었다. 심부름도 잘하고 "사과 같은 엄마 얼굴 예쁘기도 하지요" 하며 노래도 잘했다. 이때 아기 키우는 것이 힘들다고들 하는데 나는 단 한 순간도 힘든 적이 없었다. "함니, 하지~" 이렇게 할머니, 할아버지를 부르며 잘 따랐다.

엄마가 계속 머리 아프다고 하셨는데 우진이랑 놀아주다 보면 괜찮아지시리라 생각했다. 병원을 몇 군데나 다 돌아다니며 검사를 해봤으므로 그냥 안심했다. 병원에 의사 말만 믿고는.

그리고 난 남편이 입원해 있는 병원으로 가기 위해 집을 나섰다. 내가 나오고 20분쯤 지났을까? 얼마 지나지 않았을 때 아빠에게 전화가 왔다. 아빠의 다급한 목소리가 무슨 일이 생겨도 단단히 생겼구나 싶었다. 엄마가 쓰러졌다고 소리치며 울먹이던 아빠의 목소리. 이게 무슨 일이지? 바로 차를 돌리고 집으로 향하며 119에 전화를 걸었다. 내가 집에 도착했을 때 구급차도 왔고 엄마는 의식이 없었다.

보름 전부터 갑자기 말투가 어눌해지고 걸으실 때 다리가 돌아가고 이상했다. 그래서 엄마를 모시고 대학병원에서 머리 CT 검사며, 필요한 모든 검사를 다 했지만, 그저 당뇨 관리해야 한다는 말뿐 다른 이상은 없다고 했다.

난 이때까지 뇌에 관련된 그 어떤 지식도, 관심도 없었다. 분명 여러 전조증상이 있었는데 왜 몰랐을까? 이런 일이 내게 일어날 거라고는 생각조차 못 해 봤다.

한참 코로나로 어느 병원 어느 응급실에도 쉽게 들어갈 수가 없었다. 몇 시간을 대기해야 했고, 더군다나 혈압은 200이고, 의식이 없는 환자를 책임질 의사가 없었다. 그때 처음 알았다. 이런 현실을.

꿈을 꾸고 있는 것 같았다. 잠시 현실이 아닌 것 같았다. 현실이 아니길 바랐다. 이런 급한 상황에 내가 할 수 있는 거라고는 그저 구급 대원들에게 소리치고, 응급실에 왜 환자를 안 받냐며 따지고 울며 우리 엄마 좀 살려 달라고 애원하는 것밖에는 없었다. 그렇게 허비한 시간이 4시간. 결국 돌고 돌아 다시 집과 가까운 대학병원 응급실에서 오라고 해서 그곳으로 갔다. 코로나 검사를 하고 CT를 찍고 한참 뒤 의사가 가족들에게 뇌 질환 환자가 있냐고 물었다. 나는 고개를 가로저었다. "내게 마음 단단히 먹고 잘 들으세요."를 시작으로 씨티 촬영한 사진을 설명했고, 뇌출혈이 의심된다며 급히 수술해야 한다고 했다. 수술 후, 벌어질 대략적인 상황 설명과 함께.

그리고 엄마는 5시간이나 걸리는 수술을 받았고, 중환자실로 옮겨졌다. 그 이후로 45일 동안 엄마를 볼 수 없었다. 모든 면회는 불가능했다. 엄마와 가족들 모두의 지옥 같은 시간이 시작되었다.

45일 후 일반 병실로 옮겨진 엄마는 처참한 모습이었다. 온몸에 꽂힌 호수, 태어나 처음 본 욕창에 나는 병실에서 소리치며 울었고, 중환자실 45일 동안의 의무기록지를 발급받았다. 욕창은 원래 중환자실에 있으면 다 생겨 나온다는 간호사 말에 너무 화가 났다. 병원을 고소하려고 준비했다. 의무기록지의 기록들은 의식 없는 엄마의 지옥 같은 하루하루가 고스란히 적혀있었다. 읽는 내내 가슴이 갈기갈기 찢어지는 것 같았다.

변호사는 내게 안 그래도 힘드신데 긴긴 싸움이 될 거라며 안 하시는 게 좋겠다고 나를 설득했다. 뇌는 우리 몸 전부를 지배한다. 그런 뇌 속 혈관이 부풀고 부풀어, 결국 터져 버린 엄마의 머릿속. 이마에서부터 관자놀이까지 새겨진 칼자국, 그 위로 박힌 날카로운 핀들. 엄살쟁이 엄마는 이 고통을 어떻게 견뎠을까? 1년이 넘는 시간 동안.

나와 언니들은 돌아가며 병원에 들어가서 엄마를 간호했다. 조금만 아파도 큰 고통을 느끼고, 작은 상처에도 바로 연고를 바르는 엄마인데 어떻게 1년을 넘도록 버텼는지 모르겠다. 때론 죽는 것이 더 어려울 때가 있다는 생각이 들던 추운 겨울, 엄마는 돌아가셨다. 그날은 크리스마스 날이었다.

각자의 생활을 모두 포기할 수 없었던 우린, 결국 엄마를 요양병원으로 모셨는데 거기서 한 달도 안 살고 돌아가셨다. 나는 오히려 마음이 편해졌다. 이제 엄마의 고통이 끝났다는 생각에. 더 이상 아프지 않아도 되니 다행이다. 엄마가 깨어나는 크리스마스의 기적을 그렇게 기도했는데 엄마의 죽음이 기적이었나 보다.

세상에서 가장 무섭고 힘든 병, 뇌 질환. 살면서 늘 당연했던 내 몸 어느 하나의 움직임들 그런 당연한 것들이 아무것도 작동하지 않는 무서운 것. 눈을 감는 것, 침을 삼키는 것. 한순간 성난 뇌는 모든 것을 다 못하게 만들어 버린다.

언젠가 내게 글을 쓸 수 있는 기회가 주어진다면 이것들을 쓰고 싶었다. 삶과 죽음은 단 한 번씩 모두에게 공평하게 주어진다. 삶과 죽음 사이에 시간이 주어지는데 이것 또한 공평하다. 물론 어떻게 태어났는지는 공평하지 않지만 말이다. 과거는 중요하지 않다는 것이다. 내가 태어난 이후 내게 주어진 시간을 어떻게 사용하는지에 따라 나를 만들어 낸다.

천국과 지옥도 누구에게나 사는 동안에 주어지는 것 같다. 죽음 후의 세계가 아니다. 나의 경험상 그렇다.

스며듦

다시 일상으로 돌아와서 나는 수업을 시작했다. 내 마음이 힘들 때는 아이들을 보며 웃는 것이 힘들었는데 그것이 없어지고 일에 대한 열정이 다시 끓어오를 때 다시 시작했다. 언어를 배우는 것은 자전거 타기를 배우는 것과 같다. 넘어지고 또 넘어지며 나도 모르게 잘 타고 있는 내 모습을 만날 수 있다. 처음엔 무서웠지만 그래서 아빠에게 절대 손 놓지 말라며 계속 얘기했는데 이미 아빠는 한참 전에 손을 놓았고, 나는 계속 나아가고 있었다. 언어와 자전거 타기의 다른 점이 있다면 자전거는 그 한 번만 나아가기 시작하면 계속 탈 줄 알게 되지만 언어는 양이 너무 많다. 그래서 긴 긴 시간 그 노력을 해야 내 몸에 밴다.

학부모님들과 아이들이 종종 "어떡하면 영어를 잘해요?"라는 질문을 한다. 그럴 때 나는 영어를 잘하기 위해 어떤 것들을 해보았는지의 질문을 시작으로 대답을 드린다. 내 말이 정답은 아니지만 나의 경험상의 이야기를 드린다. 한동안 나도 그냥 막연히 영어를 잘하고 싶다고 생각했을 땐, 방법적인 것을 먼저 찾았다.

세상에 그 어느 것이라도 내 것으로 만들기 위해선 방법을 만나기 전에 노력이 먼저 있어야 한다. 사실 영어뿐만이 아니다. 글을 잘 쓰기 위한 방법, 인간관계가 좋아지는 방법, 돈을 벌기 위한 방법 등등 모든 것들 앞엔, 노력과 실행이 먼저 있어야 한다.

일단 실행하고 노력하다 보면 방법이 조금씩 보이게 된다. 너무 뻔한 말들인 것 같지만 일단 뭐든 실행하는 것, 그리고 꾸준하게 해보기를 권한다. 내가 이걸 하고 싶고, 배우고 싶고, 필요해야 실행하게 된다. 그러고 싶은 마음이 들게 하는 어떤 영향력이 나에게 있어야 한다. 어떤 사람으로 부 턴 왔건, 사건으로부터 왔건 그런 영향력이 왔다면 그때부터 좋아하는 일 먼저 시작하면 된다.

내가 영어를 잘하고 싶다면 좋아하게 되고, 많이 들어야 한다. 그냥 듣기만 해서는 귀가 아플 것이다. 동시에 이해되어야 한다. 그래서 그림이 있는 것들을 함께 보며 듣는 것이다. 받아쓰기를 하거나 외워서 써야 하는 공부가 함께 시작되면 힘든 공부가 된다. 하지만 성과를 보여야 하니 이런 것들은 학원에서 어느 정도는 필요한 것 같다. 듣고 좀 이해가 되면 읽어야 하고 많이 읽을수록 그 언어는 속도가 난다.

아기가 태어나서 말하기까지는 5살 정도 되어야 한다. 그전까지 모국어를 듣는 시간이 얼마나 긴 시간인지 생각해 보면 하루 한 시간 매일 공부를 해도 그 언어를 말하기가 어렵다는 계산이 나온다. 그래서 우린 더 효과적인 방법을 찾는지도 모르겠다. 오늘 내가 공부를 했다면 단어나 모든 대화를 내 입 밖으로 나올 때까지 소리 내서 연습하고 그 상황을 만나고 말해봐야 그래야 나의 언어가 된다.

내가 만난 학생들에게 제일 먼저 영어가 재미있어지게 하는 것, 그래서 하고 싶게끔 만드는 것이 선생님이 아이들에게 줄 수 있는 가장 좋은 영향력인 것 같다. 또는 못해도 잘하고 싶다는 생각이 들게 하는 것, 미술 학원에 가면 그림을 그리고 싶다는 생각이 들게 하고, 피아노 학원에 가면 피아노를 연주하고 싶은 마음이 들게 하는 것. 그게 선생님의 역할이라 생각한다.

알파벳을 익히고 파닉스를 떼고, 읽기가 가능해지면 독해가 시작되고 독해가 어려워질 때면 문법을 한다. 대략 큰 틀은 이렇지만 이 배경은 무조건 듣기. 모든 언어의 익힘에 있어 듣기는 그냥 배경 같은 것이다. 들으며 동시에 이해가 가능해지고 말하기를 할 수 있게 된다.

리딩을 하며 독해가 가능해지고, 쓰기도 척척하게 되는 것. 가장 이상적인 영어 공부법일 것이다. 결과의 차이는 있다. 아이들 각자 받아들이는 속도와 이해도가 모두 다르기 때문이다. 그래서 내 수업은 아이들 모두 책도 다르고 숙제의 양도, 발표 내용도 모두 제각각이다.

나의 수업 시간은 가끔은 노랫소리로, 가끔은 베이킹 수업으로 시끌시끌할 때도 많다. 다양한 방법으로 아이들에게 영어가 스며들기를 바란다.

봄에 씨앗을 심고 그 씨앗이 자라나는 과정을 표현해 보는 수업을 한 적이 있었다. 씨앗, 새싹, 줄기, 꽃, 등등 이런 단어들을 익히고, 매일 달라지는 내 식물의 변화를 한 줄씩 적게 하며 단어에서 문장으로 확장해 익히게 했다.

또 한 번은 놀이터에 가서 아이들에게 각자 한두 주먹씩 흙을 담아오게 하고 책상 위에 내가 가져온 흙을 두고 흙에 대한 느낌을 표현해 보는 수업을 했었다. 아이마다 표현하는 말들이 다양했다.

"까칠해요, 거칠거칠해요, 끈적해요, 쌀 같아요, 먹어도 될까요? 계속 만지다 보면 지렁이가 나를 물 것 같아요."
흙의 느낌으로 새로 알게 되는 단어들. 이렇게 익힌 단어들은 잊지 않고 계속 기억했다. 책을 보다 그때 배웠던 단어들이 나오면 아이들은 어김없이 놀이터 가서 흙 주워 온 날의 이야기를 하곤 한다. 또 "내가 키우던 내 화분은 이제 죽었어." 등등 그때의 이야기를 하곤 했다.

아이들은 기억력이 정말 좋다. 알라딘 노래를 배운 게 2년 전인데 아직도 그 노래를 흥얼거릴 줄 안다. 그래서 팝송 수업도 매달 한 곡씩 바꾸며 진행한다. 여름이면 여름 노래, 겨울이면 겨울 노래, 이번 크리스마스에는 [12 days of Christmas]를 불렀다. 처음에는 아이들이 "가사가 너무 길어요" 하며 걱정했던 친구들도 모두 크리스마스를 앞두고 다 외워서 자신 있게 불렀다. 다음 달엔 어떤 노래를 할지 아직 고민 중이다.

베이킹 수업은 아이들이 가장 좋아하기도 하지만 나도 좋아하는 수업이다. 멜버른에서 공부할 때 위층 쿠커리반 친구들의 당근 케이크를 먹어보고 난 후부터 나는 베이킹의 매력에 빠졌다. 한국 와서 제과제빵 학원에 다니며 케이크 전문가 양성 과정을 모두 수료하기도 했다.

아이들은 달걀 한 개를 깨면서도 행복해했고, 생크림이 부풀어 오르는 것을 보며 즐거워했으며, 밀가루를 만지며 수업하고 내가 만든 맛있는 쿠키를 먹는 것을 행복해했다. 물론 뒤처리는 나의 몫이지만 아이들에게 기억에 남는 수업 하나를 남기는 것이 의미 있고 보람된 일이다.

언어를 배운다는 것은 스며듦이다. 내 몸, 곳곳에 스며들어 입 밖으로 자신 있게 내 생각을 말할 수 있게 된다. 예전에는 대기업에서 토익점수가 중요했지만, 이제는 점점 토익점수의 시대는 사라질 것이다. 토익점수가 높은 것과 스피킹 실력은 큰 차이를 보여왔기 때문이다.

입시뿐만 아닌 정말 필요한 영어로 소통할 수 있는 영어를 하는 우리 아이들이 되기를 기대해 본다.

Present is a present.

현재가 선물이다.

수업 중에 present라는 단어가 나오면 어김없이 나는 아이들에게 얘기해 준다. 선물이란 뜻 동시에 현재라는 뜻도 있다고.

내가 이렇게 말하면 아이들은 "왜요?" 그럼 난 그냥 우리나라의 배, 밤, 눈 뭐 이런 거와 같은 거라고 이 정도 설명해 주며 스티브 잡스의 연설 이야기와 그게 좀 어려운 저학년 친구들에겐 [쿵후 판다]를 봤냐는 질문과 이 대사를 이야기해 준다.

Yesterday was a history, tomorrow is mystery,
But today is a gift. That's why we called a present.

- 쿵후 판다 중 -

어떻게 매 순간이 선물이란 느낌이 들게 살 수 있을까? 어려운 일일 것이다. 누구나 삶의 힘듦이 있기 마련이고, 그 고난도 어쩌면 나를 단단하게 만들 수 있는 선물이라고 느낄 수 있는 때가 온다.

고통스러울 때는 왜 살아가야 하는지 모르겠고, 왜 이 시련을 극복해야 하는지 알 수 없다. 그저 시간이 지나야만 느낄 수 있다. 그것조차 선물이었다는 것을. 아이들은 내게 왜 공부를 해야 하냐고, 왜 영어를 해야 하냐고 질문한다. 나중에 멋진 미래를 살기 위해 지금 투자하는 거라는 어른들의 말도 있고, 그냥 학생이니까 하라는 어른들도 있는데 나는 어떤 대답을 해줘야 할지 고민하다가 말했다.

하다 보면 알 수 있을 거야. 그 답을 찾기 위해 노력해야지 지금은 잘 모르니깐. 그냥 지금 내게 주어진 것을 하면 된다고 말한다. 이왕 하는 것, 즐기면서.

아이들에게 오래도록 기억에 남는 수업과 앞으로 나아갈 미래에 영어가 좋은 영향력을 미쳐주길 바란다.

Chapter 4

이보미 원장 시점

도전과 열정으로
매일 성장하는
영어교육 멘토

은행원을 꿈꾸던 나, 왜 영어 강사가 되었을까?

"선생님은 영어를 좋아하세요? 선생님은 몇 살 때부터 영어를 배우셨어요?"

"정답은 No야. 선생님은 어릴 때 영어를 좋아하지도 않았고 잘 하지도 않았어."

나는 영어 강사이다. 테솔 대학원에서 영어를 전문적으로 공부하고 사교육과 공교육에서 근무한 지 벌써 18년째이다. 영어 강사가 되기로 결심했을 때 나는 단 한 가지의 큰 각오로 이 일을 시작했다. 그 각오는 내가 살고 있는 행신동에 사는 학생이든, 대치동에 사는 학생이든 누구를 가르쳐도 잘 가르치는 강사가 되겠다는 결심이었다.

대학 때 경제학을 전공하며 평범한 은행원, 증권회사 직원을 꿈꿨다. 젊음을 경험과 도전의 상징으로 여기며 백화점 판매원, 호텔 서빙, 전단 붙이기 등 안 해본 일이 없을 정도이다. 20대 초반에는 새벽 6시에 일어나 낮에는 수업을 듣고 저녁에는 아르바이트를 하며 하루를 꽉 채운 삶을 살았을 정도로 부지런했다. 당시에 은행원이 되기 위해서는 경력과 학점관리가 중요했다. 나는 "대학생 E-biz 창업에 관한 연구" 발표로 대학에서 대상을 받고 학점 4.5 만 점 중 4.0을 유지하며 은행원이 되기 위해 나만의 스펙을 만들어 갔다. 한창 미팅하고 예쁠 20대 나이에도 남들보다 더 열심히 살아야 더 빨리 꿈을 이룰 수 있을 줄 알았다.

대학을 졸업할 무렵 안타깝게도 IMF 여파로 회사채용이 별로 없었다. 내가 졸업하기 1년 전만 해도 서울권 대학을 나오면 은행 합격은 어렵지 않았다. 베이비붐 세대라서 고등학교 연합고사 합격선도 20점이 높아졌을 정도로 경쟁이 치열했는데 이번에는 IMF 경제위기란다. 학창 시절부터 대학 생활까지 큰 어려움 없이 지냈는데 대학 졸업반이 되니 우리나라 경제위기가 나한테 주는 영향을 피부로 느끼기 시작했다. 공무원이셨던 아빠가 명예퇴직을 하게 된 것이다. 자식 교육열이 뛰어났던 엄마는 오빠와 내가 아빠 퇴직금으로 공부를 더 하기를 바라셨다. 하지만, 나이 들어가시는 부모님과 집안 사정을 무시할 수는 없었다.

IMF로 각 기업은 채용을 연기하거나 규모를 대폭 줄였다. 은행원이 되겠다고 대학 내내 스펙 쌓기에 열중했는데 그마저도 나온 수십 군데의 금융권 회사에 모두 서류 탈락을 한 것이다. 졸업 후 백수 생활을 예약하며 막막해질 무렵 인터넷에서 한국은행 상용사무원(전문 연구 보조)을 발견하였다. 경제가 좋아지면 경력을 바탕으로 다른 은행채용에 지원할 때 도움이 될 수 있다는 생각이 들었다. 계약직이지만 해외 투자 회사, 경제 관련 논문까지 공부할 수 있어 나에게 이보다 더 좋을 수는 없었다. 지푸라기라도 잡는 심정으로 열심히 면접 준비를 한 끝에 77대 1의 경쟁률을 뚫고 당당히 합격하였다.

매일 아침 을지로에 있는 회사로 출근했지만, 마음이 편하지 않았다. 언젠가 안정적으로 다른 회사에 옮겨야 한다는 생각 때문에 발이 늘 땅에 떠 있는 기분이었다. 새벽 5시 30분에 일어나 회사로 출근하기 전에 종로에 있는 영어학원에서 영어 회화 공부를 하기로 했다. 새벽 출근은 힘든 일이었지만 그 시간에 출근할 수밖에 없었다. 일산에서 광화문을 향하는 빨간 광역버스는 새벽 6시 40분 이후에 타면 버스 자리가 없기 때문이다. 콩나물시루처럼 꽉 찬 광역버스 문은 늘 사람들의 입김이 가득했다. 나는 아직도 광화문 한복판을 지나 종로로 걸어갈 때 느꼈던 차가운 새벽공기를 잊을 수 없다. 새벽에 청소하시는 분, 출근하시는 분들을 보면서 나도 그들처럼 열심히, 부지런히 살아가고 있음에 뿌듯함을 느끼는 순간이었다.

은행에서 일하는 2년 동안 남는 시간에 또 다른 스펙 쌓기를 해야 한다고 생각했다. 취업 준비로 토익 점수는 잘 받았으니 필요한 것은 유창한 영어 회화 실력이었다. 아침 7시에 영어학원에 도착하면 12명이 둘러앉아 있었다. 원어민 선생님이 방긋 웃으며 늘 그랬듯이 "Hi! How are you?"로 시작한다. 우리가 영어교재에 있는 표현을 짝과 함께 대화하는 동안 원어민 선생님은 한 바퀴 돌면서 우리 얘기를 귀담아듣고 피드백을 주셨다. 그때 당시에는 내가 영어를 잘 못하던 시절이었다. 원어민 선생님이 "How are you?"라고 물어보면 대부분 학생이 "Good", "So so"를 외칠 때 혼자서 "Nothing special"이라고 말하는 학생이 있었는데 내 영어 실력이 부족하니 그 대답마저도 부러웠다. 원어민 선생님이 질문하면 늘 머릿속에 한국어로 먼저 생각했고 영어로 더듬더듬 바꿔 말하기 바빴다. 매일 아침 1시간씩 영어 회화 공부를 하였으나 대부분 짧은 문장 패턴에서 벗어나지 못했다.

첫 직장이자 남자들밖에 없는 보수적인 회사에서의 직장생활은 늘 긴장의 연속이었다. 키보드 소리밖에 들리지 않았던 조용한 사무실에서 구둣발 소리조차 크게 들릴까 봐 늘 조심히 걸어 다녔다. 늘 긍정적이고 씩씩했던 나는 회사에 다니는 동안 2가지만 생각하기로 결심했다. "항상 큰 소리로 먼저 인사하자". "내일 일은 내일 생각하자". 회사 생활을 잘하기 위해서 경제정보들을 모아 경제전문가들에게 보고할 때마다 기분 좋게 큰 소리로 먼저 인사했다. 매일, 매주 발행되는 간행물들의 수치 담당 또한 나의 역할이었다. 경제 관련 자료들을 못 찾거나 주간, 통계 수치에 실수라도 하는 날에는 잠이 안 왔다. 그래서 "내일 일은 내일 생각 하자"라고 나 자신을 되뇌었다. 시간이 흐르고 업무가 익숙해지면서 내 삶은 매우 여유로웠다. 회사에 취업해 야근했던 친구들과 달리 나의 업무는 5시 칼퇴근이었다. 5시 퇴근 후 명동 근처에 일하는 친구를 만나 떡볶이를 먹고 시청 앞을 걸으며 매일 평온한 시간을 보냈다.

슬슬 생활방식이 익숙해지자 나는 여유로움을 자책하기 시작했다. 내가 누구란 말인가? 고등학교 졸업하자마자 친구랑 겁도 없이 직업소개소를 찾아가 호텔에서 서빙 아르바이트를 하던 나 아니던가? 프린터 판매 아르바이트를 할 때는 전국 10위 안에 들어 무상으로 프린터 한 대를 선물 받았던 나 아니던가? 20대는 경험과 도전을 해야 하는 시기인데 내가 이렇게 한가롭게 시간을 쓰고 있을 수가 없었다. 때마침 저녁 시간을 알차게 보낼 고민을 하던 차에 임용 고시에 합격하고 발령을 기다리고 있는 친구에게서 전화가 왔다.

"우리 시간도 많은데, 저녁에 영어 문법 공부하는 게 어때?"

영어 문법이라고는 생소한 문법 용어를 중학교 때부터 무슨 말인지도 모르고 달달 외웠는데 또 문법 공부를 하자는 말에 벌써 진절머리가 났다. 하지만 수능 시험이 끝나자마자 아르바이트를 시작했으며 20대 내내 새벽 6시에 일어나 하루를 꼭 찬 스케줄로 지내지 않으면 불안해하던 내가 아니던가! 나는 오빠가 공부하다 만 너덜너덜한 영국판 Grammar in Use를, 친구는 빨간색 미국판 Grammar in Use를 들고 우리는 신촌에 있는 대학교 스터디 카페에서 매주 2회씩 만나 저녁에 공부하기 시작했다.

처음에 영어원서로 된 문법책을 어떻게 공부해야 하는지 몰랐다. 모든 문법 내용이 영어로 쓰여 있으니 우리는 번갈아 가면서 Unit 1개씩을 읽고 해석하기로 했다. Grammar in Use 한 권을 1번 보는 데 총 6개월이 걸렸다. 우리는 2번째로 이 책을 다시 보았다. 2번째 볼 때는 처음 보다 양을 늘렸다. 총 1번 보는 데 4개월이 걸렸다. 두 번째 읽어 보니 대략적인 중심 문법 몇 개만 머리에 들어왔다. 그리고, 3번째도 처음부터 다시 같은 방법으로 공부했다. 이젠 갑자기 전체적인 흐름과 문법 내용이 잡히기 시작했다. 나는 이때부터 노트에 Grammar in Use 요약과 필기를 시작했다. 그렇게 1년 넘게 공부하면서 우리는 수학 공식처럼 무슨 말인지 모르고 외웠던 '규칙 중심의 문법'이 아닌 '문장에서의 쓰임새'를 통해 문법을 받아들이기 시작했다.

돌이켜보면 내가 영어를 싫어하게 됐던 것은 to 부정사, 관계부사, 현재완료라는 말들이 낯설고 어려워서였다. 그 용어를 듣자마자 더 알고 싶어지지 않았다. 영어를 언어가 아닌 수학 공식처럼 배우는 영어 공부 때문에 영어에 흥미를 잃었다. Grammar in Use는 예문을 통해 쓰임새를 설명하고 문법을 깨닫게 한다. 내가 한국에서 배웠던 문법책들이 문법 개념을 먼저 설명하고 예문 공부 후 연습문제를 푸는 두괄식이라면 Grammar in use는 예문과 문제 풀이를 통해 문법 개념을 자연스럽게 받아들이게 하는 미괄식이다. 나는 영어로 된 원서 문법책을 해석만 하고 내용을 요약하면서 나만의 문법 노트를 만들어갔다.

종로에서 만난 인생 멘토

영어에 관심이 생기면서 영어를 잘하고 싶어졌다. 인터넷으로 열심히 검색한 끝에 종로에 있는 한 어학원에서 영어를 정말 잘 가르치는 영어 강사가 있다는 소문을 들었다. 그분들은 폴, 에리카 선생님이었다. 폴과 에리카 선생님 수업은 처음에 4명의 학생으로 시작했지만, 1년 만에 학생 수가 수백 명이 넘어갈 정도로 인기가 많았다. 한 반에 100명이 넘는 학생들이 듣는 수업이었기 때문에 앞자리 차지는 굉장히 치열했다.

폴 선생님은 늘 수업 시간에 비행기를 탈 때 끌고 다니는 캐리어를 가지고 오셨다. 캐리어 안에는 영어 사전과 책들이 있었다. 에리카 선생님은 미국 교포 출신으로 한국에서 영어를 배울 때는 몰랐던 북미문화, 자연스러운 영어 표현을 알려주셨다.

폴과 에리카 선생님은 여태 내가 배웠던 영어학원들과 다른 방식으로 운영했다. 기존의 영어 학원들은 선생님이 주가 되어 학생에게 발표시키는 방법이었다. 하지만 폴과 에리카 선생님의 수업은 학생들을 그룹으로 나누고 학생들이 직접 선생님과 학생의 역할을 하며 서로 협력하에 공부하는 시스템을 만들었다. 또한, 기존의 단순한 단어암기, 문법 설명의 학습식 수업에서 벗어나 발음교정, 영미문화, 역할연기, 프레젠테이션 등 영어를 다양한 활동을 통해 배우게 했다. '선생님 중심의 지식을 전달하는 영어 수업'이 아닌 '학생 중심의 쓸 수 있는 영어, 진짜 영어를 배우는 느낌이었다.

중, 고등학교 내신, 수능에서 배운 영어, 그리고 대학생이 되어서 토익학원에서 배운 영어를 나는 동일한 방법으로 배웠다. 무슨 말인지 이해가 안 되는 용어로 가득했던 to 부정사, 접속사와 관계대명사가 있는 문장 구조를 샅샅이 분석해 내서 답을 찾는 것이 영어를 잘하는 것으로 생각했다. 어쩌면 나뿐만 아니라 대부분 대한민국 사람은 동일한 방법으로 영어를 배웠을 것이다. Grammar in Use에 있는 예문을 통해 영어 문법을 공부하며 흥미를 느꼈다면 폴과 에리카 선생님을 만나고 나는 영어를 더 이상 '학습'이 아닌 '언어'로 받아들이기 시작했다.

난 아직도 기억한다. Some은 긍정문 any는 부정문, 의문문으로 외우던 이 시절, 19년 전에 폴 선생님은 이미 some이 상대방에게 '긍정적인 느낌의 대답'을 생각하면 의문문에서 some을 쓸 수 있다고 말씀하셨다. 요즘 영어 문법책은 이제야 의문문에는 some과 any를 둘 다 쓸 수 있게 하거나 '권유하는 의문문'에는 some을 쓸 수 있다고 적혀있다. 기존에 to 부정사와 동명사를 배울 때는 to 가 들어가는 동사, ~ing가 들어가는 동사를 달달 외웠지만 에리카 선생님은 to 부정사와 동명사를 설명할 때, 단순히 plan은 to 가 들어간다고 하지 않고 to 가 들어가는 동사들은 미래지향적, 일반적이며 동명사가 들어가는 동사들은 과거, 경험에 쓰일 때 사용한다고 했다. 단순히 to가 들어가는 동사와 ing가 들어가는 동사를 아무런 이유 없이 달달 외웠던 나에게 큰 충격이었다. 더 놀라운 것은 내가 영국 어학연수에서 영어 문법을 배울 때도 영국 선생님이 같은 방법으로 문법을 설명하셨다.

나는 영어 강사가 된 지금, 수업 시간에 꼭 영어원서 문법책을 사용한다. 한국어와 영어가 일대일로 일치하지 않기 때문에 영어원서 문법책은 한국어문법 책에서 배울 수 없는 '영어의 감'을 잡아준다. Grammar in Use로 영어를 좋아하기 시작했다면 에리카와 폴 선생님을 만나고 나서, 나도 영어를 가르치는 사람이 되고 싶어졌다. 더 이상 수학 공식처럼 달달 외워서 하는 영어가 아닌 언어로써의 영어를 가르치고 싶어졌다.

"그래! 나는 영어 강사가 되어야겠어!"

생각해 보니 나는 회사에 묶여 있는 성향이 아니었던 것 같다. 5살 때 사람들 앞에서 김완선의 "나 홀로 뜰앞에서" 춤을 췄고 대학 때 조별 과제에서도 항상 발표는 내 임무였다. 외국에 가는 것을 반대하는 아버지 뜻을 거부하고 6개월 휴학 후 아르바이트로 모은 300만 원을 가지고 호주로 떠난 나였다. 호주 단기 어학연수는 나에게 정말 꿈만 같았다. 유난히 자연을 좋아했던 나에게 파란 하늘과 드넓은 자연, 도시 곳곳에서 사람들과 어울리는 새들, 바다에서는 서핑하는 여유로움은 내 인생의 파라다이스 같았다. 나는 호주에 있을 때도 새벽 6시에 일어나 매일 박물관, 미술관, 근교 여행을 다니기에 바빴다. 모든 사람은 나에게 친절했으며 호주에 있는 동안 매일 행복했다. 처음에는 호주 어학연수를 알아보다가 나는 영국 환율이 떨어진 것을 발견하고 영국으로 어학연수를 가기로 했다.

"남태평양에서 살아봤으니, 이번에는 유럽에서 살아보자!"

내가 호주에서 여유롭고 행복했던 것처럼 영국에서도 그럴 줄 알았다. 영어 강사가 되기로 결심한 후 회사에 다니면서 어학연수를 준비하였다. 국내 영국유학원은 다 찾아다녔다.

영어 공부하기 가장 좋은 나라는?

외국에 가면 영어가 많이 늘겠지? 천만에, 말씀! 6개월 동안 꼼꼼하게 준비한 끝에 한국인들이 많은 런던과 영국 남부 지역을 피해 북부지역으로 선택했다. 그리고, 영국 대학생들과 내 인생의 두 번째 대학 생활을 해보고 싶어 어학원이 아닌 영국의 대학교로 선택했다. 마지막으로 어느 환경에서나 적응을 잘하는 나 자신을 믿고 홈스테이가 아닌 기숙사 생활을 선택했다. 이 세 가지 조건을 모두 갖춘 곳은 악명 높은 날씨와 축구로 유명한 영국의 북부에 있는 Newcastle college였다.

나는 외국만 가면 영어가 유창해지는 줄 알았다. 고급스러운 영국 발음과 멋진 영국 남자를 만날지도 모르는 기대감으로 가득 차 있었다. 내가 영국 북부 Newcastle college를 선택했던 이유는 한국인이 없어야 영어를 더 효과적으로 배울 수 있다는 생각에서였다. 맙소사! 한국 사람들이 없는 이유는 다 이유가 있었다. 내가 갔던 영국 북부지역은 '선데이'를 '쑌다이'라고 발음하는 영국의 제주도 발음이라고 불리는 곳이었다. 게다가 날씨는 어떠한가! 새벽에는 비가 오고 오전에는 따뜻한 봄 날씨, 오후에는 우박이 떨어지다 저녁에는 눈이 오는 곳이었다. 이 악명 높은 날씨를 가진 뉴캐슬에 도착하자마자 2주 내내 울었고 3개월 내내 우울했으며 영국 학교 비자를 2년 받아 놓고 1년 만에 한국으로 돌아왔다.

나의 기숙사 생활은 또 어떠했을까? 당시에 대학생들의 기숙사 생활을 그린 '남자 셋 여자 셋'이라는 TV 프로그램이 인기였다.

나의 첫 영국 생활에 홈스테이가 아닌 영국 대학교 기숙사를 지원한 것은 나의 큰 실수였다. 기숙사에 도착하면 드라마처럼 영국 아이들이 'Hi' 하며 나를 반겨줄 줄 알았다. 나의 더듬더듬 영어를 차분하게 귀담아듣고 내 영어 발음을 고쳐주며 우리는 친구가 될 수 있는 줄 알았다.

대학생 아이들 평균 연령은 나랑 거의 10살 차이 나는 17세였다. 툭하면 이성 친구를 데리고 오는 영국 10대 문화가 이해가 안 갔다. 복도 계단 옆에 사는 제이미는 방문에 해골 그림이 있는 사진을 붙여 놓았고 밤이면 파티를 열었다. 옆방 사는 맥스는 짜장 참치를 먹는 나한테 개고기냐고 물어보기도 했다. 안 그래도 사람 사귀는데 겁이 많은데 나는 아이들과 어울리기가 점점 힘들어졌다. 제일 무서웠던 순간은 매주 금요일 밤이었다. 매주 금요일 밤이면 제이미, 캐서린, 맥스 모두 없는지 고요한 정적이 흘렀다. 나는 밤마다 무서워 라디오를 켜고 잤다. 기숙사 생활 두 달 후 알게 되었다. 영국 친구들은 금요일 밤마다 클럽에 가는데 문화였다.

게다가 영국 친구들의 언어는 정말 충격적이었다. 한국에서 중, 고, 20대까지 총 10년 이상 영어 공부를 해왔기 때문에 말은 못 해도 간단한 말은 알아들을 자신이 있었다. 그런데 원어민은 내가 여태 교과서에서 배워온 그 표현으로 대화하지 않았다. 나는 '방문한다'를 'visit'으로 배웠는데 영국 친구들은 'come around'로, '떠난다'를 'leave'로 공부했는데 영국 친구들은 'set off'와 같이 구동사를 많이 썼다. 내가 여태 영어 듣기 평가를 했던 것은 교과서 언어이지 원어민이 일상생활에서 말할 때 사용하는 표현이 아니었다. 내가 10년간 교과서와 학습서에서 배워온 그 표현은 공식 언어였다. 생각해 보면 나도 친구들과 대화할 때 교과서에서 나오는 문장처럼 말하지 않으니 맞는 말이다.

여태 내가 배운 영어에 혼란이 오기 시작했다. 안 그래도 듣기 실력이 부족한데 기숙사 영국 친구들과 어울리는 것은 더욱 힘들었다. 아이들은 내가 더듬더듬하는 영어를 보고 답답해하며 인상을 찌푸렸다. 다 같이 거실에서 코미디 프로를 보면 애들은 웃는데 나는 왜 웃는지 몰랐다. 영국 어학연수 생활은 관광객이 아닌 철저히 그 나라 사람들의 생활에 들어간 이방인이었다.

학교생활은 어땠을까? 한국에서 문법을 너무 열심히 공부한 탓에 영어 레벨 1~5단계 중 상위레벨인 4단계로 들어갔다. 영어 회화를 배우러 간 것이었는데 4, 5단계 상위레벨은 "영국 대학 입학" 목표로 하므로 독해, 쓰기 위주의 수업을 했다. 내 레벨에는 영국 대학 진학 예정인 아랍, 대만 친구들이 전부였다. 반대로 레벨 2,3 에는 듣기, 말하기 중심이며 유럽 친구들이 많았다. 큰 각오로 영어 회화를 배우러 영국에 왔으나 실제 영어 수업은 시험 대비 읽기, 쓰기 중심이었다. 결국, 영어 회화가 부족해 1년 내내 4단계 레벨에 머물러 있어 화가 났다. 지나고 보면 정말 내가 바보 같다는 생각이 든다. 학교에 부탁해 레벨을 낮춰달라고 할 수도 있었다. 하지만, 프랑스, 일본 친구들을 만날 때마다 내 레벨이 더 높은 것에 내심 자부심이 있었던 것 같다. 영어 회화가 필요해서 간 어학연수 기간 독해, 쓰기 중심의 영어 공부를 하고 있었다. 장기적으로 보면 레벨은 중요하지 않다. 영어는 언어이다. 총체적으로 움직인다. 인생 길게 보면 영어 레벨은 아무것도 아니다.

영국에 가면 매일 영어가 늘 줄 알았는데 나의 한숨과 고민만 늘어가기 시작했다. 영어가 생각만큼 안느니 불안감이 밀려왔고 영국 학교에서 매일 한국어 인터넷 사이트에 들어가서 "영어 잘하는 방법"을 검색하기 시작했다. 나는 2번의 어학연수를 했다. 첫 번째 호주의 단기 어학연수, 두 번째 영국의 어학연수이다. 어학원에 일할 때 캐나다 대학을 나왔지만, 영어를 못하는 선생님을 만난 적이 있다. 영국에서 10년 살았지만, 영어를 못하는 한국 아주머니를 만난 적이 있다. 외국에 가는 것이 중요한 게 아니라 나를 얼마나 영어를 쓰는 환경에 노출하는지가 중요하다는 것을 깨달았다. 어학연수를 가기전에는 내가 가는 곳마다 영국 사람들이 나에게 친절하게 인사할 줄 알았다. 심지어, 우리나라는 미국식 영어 발음을 선호하는데 내 영어 발음이 영국 발음일까 봐 걱정까지 했다. 하지만 이는 보기 좋게 깨졌다. 내가 영어로 대화했던 아이들은 대부분 일본, 대만, 아랍 친구들이었다.

어학연수를 가면 그 나라 사람들과 대화할까? 아니다. 대부분 언어를 배우러 온 나와 비슷한 수준의 영어 실력을 갖춘 아이들과 대화하게 된다. 같은 반에서 공부했던 일본인 친구 다나카는 공부한 지 3개월 만에 어학연수 Language Center에 건의해 어학연수 코스가 아닌 '학위'를 받을 수 있는 Newcastle college로 갔다. 나는 듣기, 회화 실력이 되지 못해서 1년 내내 같은 레벨에서 어학 코스만 공부했다. 어학연수 비용과 영국대학 학비는 큰 차이가 나지 않는다. 내가 다시 어학연수를 가게 된다면 혹은 어학연수를 준비하는 학생이 있다면 조금 더 듣기 실력을 키운 후 외국 2년제 대학으로 가라고 말하고 싶다. 내가 영국을 가기 전에는 외국 대학 입학이 굉장히 어려운 일인 줄 알았다. 막상 그 나라에 가고 보니 한국 대입이 제일 어렵다.

영국 어학연수에 간다고 2년간 은행에서 근무해서 모은 돈을 다 투자했다. 기숙사비, 학비까지 늘지 않는 영어 실력에 애가 탔다. 내가 학교에서 영어 공부를 하기 위해 고민하며 검색한 것은 모두 한국 사이트였다. 한국은 인터넷이 발달했고 경쟁이 치열하고 인구 밀도가 높다. 수많은 사람들이 매일 영어를 생각하고 넘쳐나는 사교육은 종류가 다양하다. 그리고, 매일 따라잡을 수 없을 만큼 많은 영어책이 출판된다. 언제든지 내가 원하는 자료를 빠르게 찾아볼 수 있고 화상영어로 외국인과 대화할 수 있다.

'그렇다! 우리나라가 영어 공부하기에 최고로 좋은 나라이다.'

내가 처음 3월에 영국 Newcastle college 기숙사에 도착한 날 3월에 한국으로 돌아가는 친구를 만난 적이 있다. 1년간의 어학연수 과정 동안 기대했던 결과를 못 얻었다며 어학연수의 성공은 '한국이 얼마나 영어 공부하기 좋은 나라인지를 깨닫게 해 둔다고' 말했다. 나는 그때 그 친구와 다를 줄 알았다. 결국 2년을 계획하고 갔던 영국 어학연수를 1년짜리 런던에 있는 어학원 수업을 남긴 채로 한국으로 돌아왔다.

잘하는 게 먼저? 좋아하는 게 먼저?

영국에서 1년간 혼자 있었다고 한국으로 돌아오니 부모님과 함께하는 생활이 새삼 감사하게 느껴졌다. 빨리 영어 강사가 되어서 나의 꿈을 펼쳐보고 싶었다. 학구열이 높은 일산 후곡마을과 대형 프랜차이즈 등을 돌아다니며 면접을 보았다. 하지만 내가 처음 영어 강사를 시작한 곳은 바로 우리 동네 유명한 어학원이었다. 어학원에 들어서자마자 내 눈을 사로잡은 것은 통유리로 된 교실에서 아이들이 동그랗게 둘러앉아 원어민 선생님과 수업하는 모습이었다. 벽에 붙어 있는 'No Korean' 글자처럼 아이들은 복도에서도 짧은 단어로 원어민 선생님과 대화했다. 내가 여태껏 다녔던 경직된 영어학원의 모습이 아니다. 더 이상 문법과 독해 중심의 영어가 아닌, 정말 원어민과 자유롭게 말하고 글을 쓸 수 있는 어학원에서 일하고 싶었다. 시강 후 부원장님은 대학 때 잠깐 영어 강사 경력을 보시고는 나를 특목고반에 넣으셨다. 한 곳에 자리 잡으면 좀처럼 움직이는 것을 싫어하는 성격 때문에 이곳에서 7년간 영어 강사, 헤드 티쳐, 교수부장을 차례대로 밟았다.

이 어학원은 10년 넘게 350명의 학생을 유지하며 이 지역에서 꽤 유명했다. 큰 대형 어학원에서 근무했던 강사는 커리큘럼이 궁금해서 들어올 정도였으니 말이다. 영어 유치원에서 고등부까지 있었지만, 대다수가 초등이었다. 영역별로 한국인 선생님과 원어민 선생님 교대로 100% 영어로 수업을 진행하며 주로 문장 패턴 드릴을 사용하였다. 나는 초반 영유 출신 초등고학년 아이들을 맡게 되었다. 이 아이들에게 한국어 문법책과 원서로 된 영문법 책을 가르쳤으며 다음에는 어려운 텝스까지 가르쳤다. 아이들은 영어를 참 잘했다. 하지만, 어릴 때부터 영어학원을 다녔던 아이들은 내가 초짜임을 눈치채고 '선생님이 숙제를 많이 내준다.', '선생님이 설명하는 문법 설명을 못 알아듣겠다.' 등 이런저런 불평을 하기 시작했다. 심지어 한 학부모는 틀린 단어 5번씩 쓰기 숙제를 내줬다며 아이들을 조금 더 교육적인 방법으로 지도해 달라고 요청하기도 했다. 이 아이들은 '어학원의 꽃'이었다. 분명 이전에도 실력 있는 강사가 가르쳤음이 틀림없다. 초보 강사였던 나는 비교되고 싶지 않았다. 그래서 수업 준비를 더 철저히 했다. 영어를 잘 가르치는 것 이외에는 머릿속에 아무 생각도 하지 않았다. 나중에 안 얘기지만 내가 맡았던 반들은 다른 영어 강사들이 모두 거부한 반들이었다. 내가 3개월을 못 버티고 나갈 것으로 예상했다고 한다. 나는 오히려 경험이 없었기 때문에 이런저런 소리조차 귀에 들어오지 않았다.

이때까지만 해도 영어는 시간, 노력, 돈과 비례하는 줄 알았다. 이명박 정부의 영어 몰입 교육 얘기로 특목고 열풍이 한창이었고 특목고를 가지 않으면 좋은 대학에 갈 수 없는 분위기였다. 아이들은 방학 때마다 특강을 했고 단어를 200개씩 외웠다. 이러한 나의 공부 방법은 10년 후 과외를 할 때도 초 4 학생에게 단어 200개씩을 암기시켰다. 당시 학원 분위기는 '부모님은 아이들이 영어를 잘 하는지 못 하는지 모른다'는 것이었다. '엄마는 아이가 책상에 오래 앉아 있으면 영어를 열심히 공부한다고 생각한다'고 했다. 그래서 쓰기 숙제가 많고 20개의 문장을 5번씩, 100개 단어를 5

번씩 쓰게 시켰다. 초 4 아이들에게 현재완료를 설명하였고 중, 고등 문법, 모의고사를 뛰어넘어 초 5,6 아이들에게는 텝스를 가르쳤다. 초창기 경력이 많지 않을 때라 매일 수업 준비를 하고 내가 가르치면서도 무슨 말인지 이해가 안 된 적도 있었다. 하지만 나는 무조건 많은 양과 꽉 찬 커리큘럼으로 아이들을 훈련해야 영어가 성장한다고 생각했다. 그리고 이 아이들이 특목고에 입학한 후 원하는 대학에 가서 인생의 꿈을 마음껏 펼치기를 바랐다.

하지만, 어느 날 영유 출신 초등 고학년 아이들을 가르치다가 충격을 받았다.

"얘들아, 영어 공부하는 거 너무 재미있지 않니? 선생님은 너희가 5학년밖에 안 됐는데 영어를 이렇게 잘하니 정말 대견해. 영어 공부하는 거 너무 좋지?"

"저…. 영어 싫어하는데요."

"응? 영어를 싫어한다고? 그럼 영어 학원에 왜 다니는 건데?"

"저는 영어를 도대체 왜 배워야 하는지 모르겠어요. 엄마가 시켜서 그냥 다니는 거예요"

아이들에게 영어를 좋아하냐고 물었을 때 모두 영어가 싫다고 대답했다. 기계식으로 많은 양을 공부한 아이들은 영어 실력이 매우 뛰어났기 때문에 당연히 자부심을 느끼고 좋아할 줄 알았다. 하지만 영어를 왜 배우냐는 질문에 "영어가 싫지만, 엄마가 시켜서"라고 모두 같은 대답을 했다. 내가 3년 동안 얼마나 공들여서 가르친 반이었는데 뒤통수를 한 대 세게 맞는 기분이었다. 나는 영어가 좋아서 영어를 잘하게 됐다. 내가 오죽 '영어를 좋아하다 잘하게 됐을 때의 희열감이 컸으면 영어를 가르치는 일을 택했을까?' 영어를 잘하는 아이들은 당연히 나처럼 영어를 좋아하는 줄 알았다. 아이들은 그냥 단어 200개씩, 문장 30개씩, 하루에 3시간씩의 숙제를 해왔던 것이다.

시간이 지나면서 나의 자리는 헤드티쳐를 거쳐 교수부장이 되었다. 영어 강사일 때는 단순히 학원에서 정해준 커리큘럼으로 영어를 가르쳤다. 나의 업무는 레슨플랜 만들기, 수업 준비하기, 과제 점검하기 등 내가 맡은 반 아이들에 국한되어 있었다. 하지만 교수부장이 되면서 업무는 영어 강사 이외의 관리영역으로 확장되었다. 특목 전담반을 맡으며 최상위권 아이들을 필두로 전체 영어학원 시스템을 이끌었다. 내가 직접 1년간 학원의 커리큘럼을 계획하고 원어민 선생님 포함 12명이 넘는 강사들을 교육해야 했다. 초고학년 때부터 내가 가르쳤던 아이들이 하나, 둘씩 특목고에 진학하였다. 고양외고, 상산고를 진학하면서 아이들의 영어 성장을 함께 한 것이기에 너무나도 뿌듯했다.

경력 7년이 넘어갔을 시기에 나는 나의 영어 교수법에 비어있는 구멍들을 느끼기 시작했다. 이는 내가 최고로 영어를 잘 가르친다고 생각했던 경력 2년의 영어 강사 시절과 경력 10년 후 영어 과외비가 동일했던 이유이기도 하다. 교수부장으로 근무하며 최상위권 아이들을 가르쳤고 매년 영어 수업 커리큘럼을 연구해 왔다. 하지만 다람쥐 쳇바퀴 돌 듯 양으로 밀어붙인 아이들의 영어 실력은 성장하였지만, 영어를 전공하지 않았던 나는 영어교수법에 대한 갈증이 커지기 시작했다. 원어민 선생님이 영어를 더 잘 가르칠까? 한국인 선생님이 영어를 더 잘 가르칠까? 한국어로 된 책을 많이 읽으면 영어 독해에 도움이 될까? 왜 한국에서 많은 영어책들은 패턴 드릴을 사용하는 것일까? 어릴 때는 모국어가 먼저일까? 영어가 먼저일까?

사람이 계속해서 갈망하면 언젠가 비슷하게라도 이루어지는 것이 맞은 것 같다. 사실 나는 20대 영국 어학연수 시절 한국에서 영어 강사 경력을 쌓은 후 30 초반에 영국으로 테솔 석사를 공부하러 오겠다는 다짐을 했었다. 그래서 영어 강사를 처음 시작할 때 190만 원의 월급을 받고 한 달에 160만 원 이상 저축을 해왔다. 매달 저축을 하며 앞자리 숫자가 바뀔 때마다 너무나도 즐거워 동네 마트에서 3만 원에 산 구두를 1년 내내 신고 다니면서도 행복해했다. 집안 사정으로 유학을 포기하게 되었지만 내 마음속에 변함없이 늘 영어 분야에서 최고가 되겠다는 다짐만큼은 변함이 없었다. 학원에서 강사로 일하며 오전에 테솔 과정을 공부하고 싶어 한국외대, 숙대 테솔 과정에 붙었으나 교수부장을 시켜주겠다는 원장님의 꾐에 넘어가 결국 관리자가 되고 싶어서 번번이 진학하지 못하였다. 시간이 지나고 영어교수법을 공부하고 싶은 마음이 점점 더 커지기 시작했다. 연령별로 어떻게 영어를 가르쳐야 하며 아이의 상태에 따라 어떤 영어 교수법을 적용하는 것이 가장 효과적인지 궁금해지기 시작했다. 그리고 실전에서 일하면서 궁금했던 사항들의 해답을 찾고 싶어졌다. 그래서 이화여자대학교 테솔 대학원에 입학하게 되었다.

꼴찌에서 1등으로 졸업하기

면접을 보러 간 날, 많이 떨렸다. 이미 테솔 과정 2번을 붙은 적이 있어서 대학원도 붙겠지 싶었는데 당시 경쟁률이 3대 1이나 됐다. 어학연수에서 돌아온 후, 1년간 영어 인터뷰 스터디를 한 경험으로 교수님들 앞에서 유창하게 영어로 잘 대답할 수 있었다. 테솔 대학원에 들어가고 나니 대부분 이미 학원, 학교 등 현직에서 일하는 분들이었다. 나는 대학원 첫 수업 날 집에 돌아오면서 펑펑 울었다. 같이 수업하는 학생들이 내가 아리랑 TV에서 본 아나운서처럼 말했기 때문이다. 학원에서는 원어민 선생님들과 일상적인 대화, 수업과 관련된 간단한 대화만 하였다. 그러나 대학원에서는 3시간 내내 영어로 된 수업을 들어야 했다. 외국에서 살다 온 친구들은 교수님과 자연스럽게 대화를 주고받았다. 눈물이 펑펑 쏟아졌다. 내가 어떻게 공부하고 싶어서 들어온 것인데 수업을 못 따라가게 생겼으니 말이다. 나는 신촌에 있는 버스 정류장에서 하루 만에 자퇴하겠다고 울면서 오빠한테 전화하였다. 나는 아직도 그때 오빠가 전화로 했던 말을 기억한다.

"영어 선생님은 영어를 잘 가르치는 사람이지. 영어로 말을 잘하는 사람이 아니지. 영어로 말하는 것만 중요하면 원어민 선생님만 영어를 가르치지 않겠니?"

들고 보니 고개가 절로 끄덕여졌다. 내가 일했던 어학원 원장님은 영어를 한마디도 못 하셨지만, 원어민 선생님들을 고용하셨고 유아부터 고등까지 영어교육 시스템을 만드셨다.

돌이켜 보면 나는 늘 꼴찌로 들어가 앞에서 졸업했다. 백화점에서 일할 때 초반에 센스가 없고 어수룩한 모습을 보였지만 매출 1위를 기록하였다. 대학 때는 예비 추가합격으로 꼴찌로 들어갔지만, 학점 4.0을 유지하며 장학금을 받고 졸업했다. 취업 때는 수십 군데의 서류탈락을 거쳤지만, 열심히 준비한 끝에 77대 1의 경쟁률을 뚫고 은행에 합격하였다. 나는 늘 남들보다 느리고 밑에서 시작했지만, 최고로 졸업하였다.

"그래! 언제 내가 남들보다 처음부터 좋은 위치에서 시작했던 적이 있었나? 난 내가 애초에 부족하다고 생각했기 때문에 더 일찍 일어났고 더 열심히 살아왔잖아!"

아리랑 TV 아나운서처럼 말하는 친구들에 비해 영어 실력이 부족했던 것을 받아들이고 늘 그랬듯이 3배 더 열심히 공부하기로 마음먹었다. 대학원을 다닌 2년 동안 새벽까지 공부하느라 정말 힘들었다. 항상 영어교육 분야에서 최고가 되기 위해 박사까지 공부하기로 한 나의 다짐이 '이만하면 됐다'로 된 것을 보면 정말 원 없이 공부한 것이 틀림없다. 3시간의 수업을 위해 3시간씩 미리 공부해 갔으며 친구들이 10분이면 푸는 문제를 나는 3시간 동안 고민하며 풀었다. 때때로 교수님의 질문에 엉뚱한 대답을 한 적도 있었지만 나는 조금도 창피해하지 않았다. 늘 교수님과 친구들에게 몇 번씩 물어보며 나만의 답을 완성해 가며 영어가 유창했던 친구들보다 좋은 점수를 받았다.

영어를 가르치면서도 영문학을 전공하지 않았던 것이 내심 콤플렉스였는데 영어 교수법을 얼마나 공부하고 싶었는지 모른다. 틈만 나면 영어교육 논문 사이트에 들어가 내가 궁금했던 주제들을 찾아봤다. 영어는 몇 살 때 시작해야 좋을까? 모국어가 먼저일까? 영어가 먼저일까? 한국 사람들은 왜 패턴 드릴 기법을 많이 사용할까? 한국에서 시험은 왜 문법, 독해 위주일까? 하는 주제들 말이다. 우리나라에서는 문법이 중요하기 때문에 미국 교수님이 가르치는 문법 수업은 무엇이 다른지도 궁금하였다. 문법 수업만큼은 조금이라도 놓치고 싶지 않았다.

깐깐하기로 소문난 미국 교수님한테 양해를 구하고 수업을 녹음한 후 집에 가서 다시 들으며 공부하기도 했다. 우리나라 수능, 내신 체제가 학년이 올라갈수록 '비문학' 지문이 많기 때문에 영자 신문은 아이들이 '비문학'을 가장 쉽게 접할 수 있는 최고의 방법이라고 생각되었다. 신문의 특성과 주제별 글쓰기 기법을 배우고 싶어 News writing으로 유명한 일반 대학원 영문학 교수님께 이메일을 보내 수업을 듣기도 했다. 이후 나의 논문 주제는 'Reading and Writing with Newspaper'가 되었다. 어학원에서 오랫동안 근무한 실전 경험을 바탕으로 이론을 배울 때마다 지식을 빠르게 흡수해 갔다. 꼴찌로 들어갔지만 4.3 만점 중 4.15의 점수를 받으며 상위권으로 졸업했다. 궁금했던 이론들을 공부하여 경력의 공간을 지식으로 차곡차곡 채워나갔다.

대학원을 다니면서 내가 가르치지 않은 다른 연령대를 가르쳐보고 싶었다. 낮에는 영어학원에서 근무하고 저녁에는 대학원을 다녔으며 주말에는 입시학원 강사, 토플 강사로 근무하며 나의 경력을 확장해 나갔다. 내가 누구란 말인가? 영어 강사가 되겠다고 마음 먹었을 때 내가 사는 행신동 아이든 대치동에 사는 아이든 누구를 가르쳐도 잘 가르칠 수 있는 강사가 되겠다고 다짐했던 나 아니던 가?

나는 공부를 하다가 문득 아기가 태어나서 어떻게 영어를 받아들이고 확장해 나가는 것이 궁금해졌다. 그래서 일산에 있는 한 어린이집, 유치원에서 영어 파견 교사로 근무하였다. 나는 아이들이 어리면 더 쉬울지 알았다. 3세 반 아이들은 나에게 마음을 여는 데 6개월이 걸렸다. 아이들은 주의집중이 짧으므로 수업은 5세부터 7세까지 20분, 25분, 30분으로 하였으며 하루에 6반을 가르치며 날씨, 요일 등에 관련된 똑같은 율동을 하루에 6번씩 반복하였다. 게다가 아이들은 신체활동이 중요하기 때문에 수업의 반 이상은 나의 몸짓을 사용해야 했다. 노부영 음악을 틀고 매일 율동을 하고 수업에 필요한 교구들을 직접 만들고 아이들이 촉감을 느끼도록 만들었다. 한 반에 30명 되는 아이들을 바닥에 앉혀놓고 앉았다 일어났다를 반복하면 아이들은 뒹구르르 너무 좋아했다. 나랑 친밀감이 생기는 것은 최소 3개월 이상이 걸렸고 내 몸을 터치하는 것을 너무 좋아했다. 아마도 아이들은 내가 엄마같이 느껴졌나 보다. 초등학생들과 달리 유아기 아이들은 선생님과 친밀감(Rapport)이 형성되는 데 오랜 시간이 걸렸다.

대학원에 다니면서 이대 부속 초등학교 방과후교사로 근무하기도 했다. 사실, 이 수업은 대학원에서 실제로 배운 이론들로 적용해서 만든 수업이었다. 대학원 친구들 4명이 한 팀이 되어 주제별 영어 수업으로 진행하였다. 우리는 아이들이 즐거워할 많은 시각 자료, 영상, 영어 지문 등을 준비해서 수업하였다. 아이들의 레벨을 모르니 사립초 초고 학년 기준 토플 수준의 문제로 수업을 만들었다. 하지만, 놀랍게도 우리는 수업 내용이 쉽다는 항의를 받았다. 나는 영어유치원을 나오고 특목고를 간 아이들을 가르친 경험이 있다. 그래서, 그 수준의 영어 수업을 만들었는데 영어 수업이 너무 쉽다니 정말 놀라웠다. 우리는 결국 더 높은 수준의 영어 지문, 활동들을 만들었다.

갑자기 궁금증이 생겼다. 나는 어학원, 입시학원에서 근무하며 중, 고등 내신 수업을 오랫동안 해왔다. 중, 고등학교 출판사별 영어 주제, 문법과 EBS 영어 지문 등 많은 정보를 알고 있었다. 어떻게 하면 아이들 영어 내신 점수를 만들고 어떻게 하면 수능을 준비하는지 누구보다 잘 알고 있었다. 중, 고등학생이 되어서 영어 때문에 고생하는 아이들을 보고 문득 공교육 초등학교에서는 무엇을 배우는지 궁금해졌다. 그리고, 사립초 아이들과 영어 수준이 무엇이 다른지도 궁금해졌다. 영어 시작 시기에 가장 중요한 연령은 '초등'이라고 생각한다. 그래서 나는 근처에 있는 한 초등학교 영어 전담 강사에 지원했다.

드디어, 공교육 입성

고양시에 있는 초등학교에서 3학년부터 6학년까지 9년간 영어를 가르쳤다. 어학원, 입시학원에서 최상위권 아이들을 가르쳤지만, 공교육 수업은 아주 달랐다. 처음 학교에 갔을 때 너무 놀랐다. 초등 고학년 아이 중 반은 사교육을 받지 않았으며 5학년이 되어도 알파벳을 못 쓰는 아이들이 있었다. 참 서글픈 현실이었다. 사립초 방과 후 수업을 할 때는 영어 지문이 쉽다고 항의를 받았는데 공교육 초등학교에서는 5학년이 되도록 알파벳을 모르는 아이들이 있었다. '영어'는 단지 언어일 뿐인데 부모의 관심도, 경제력이 아이들의 영어 수준을 좌우하는 현실이 되었다. 공교육 수업은 사교육과는 확연히 다르다. 영어 말하기, 듣기, 쓰기, 읽기의 세분화된 영어 수업, 잘하는 아이들 중심으로 위로 올려보내는 학원 시스템과는 달리 초등학교 영어는 영어보다는 교육이 중점이며 잘하는 아이들보다는 그렇지 못한 아이들에게 초점이 맞춰져 있다.

학교에서는 영유를 나온 아이와 알파벳을 모르는 아이가 같은 반이다. 모두 다 어울리고 좋아할 수 있는 수업은 어떤 수업일까? 나는 수업 시간마다 팝송을 틀었다. 한 달에 1곡씩 팝송을 부르며 1년이 되었을 때 대부분의 아이는 최소 6곡 이상의 팝송을 부를 수 있었다. 각 학년에 맞는 초등 교육 교과과정이 있으므로 내 마음대로 선행학습을 할 수도 없었다. 잘하는 아이가 아닌 모든 아이가 이해하고 좋아할 수 있는 수업을 위해 기본 영어 교과서 수업 20분과 짝 활동, 모둠 활동 게임으로 20분간 협력할 수 있는 수업을 만들어 갔다.

그렇게 1년, 2년이 지나고 새로운 것을 발견했다. 나한테 3학년 때 영어를 배웠던 아이를 4학년 때 또 가르치게 되었는데 생각보다 단어, 문장 읽기를 잘하지 않았다. 또다시 고민이 시작했다. 한 반에 6명~10명 남짓했던 학원이 아닌 한 반에 30명씩 있는 아이들, 교과서에 종이 한 장 붙이는 데 15분이 걸리는 아이들이었다. 한 아이를 봐주면 여기저기서 "저요"를 외치는 아이들이었다. 내가 열심히 아이들이 스트레스 안 받는 게임 활동으로 즐거운 영어 수업을 하는 동안 정작 영어 학원에 다녀본 적 없는 아이는 나한테 1년을 배우고 단어를 읽지 못한 것이다. 나는 고민이 되었다. 이 아이는 분명 누군가 봐주지 않는다면 초등 5,6학년이 되어서도 영어 읽기를 못 할 것이다. 중, 고등학교 가서도 영어는 주요 과목이나 그 시간 동안 얼마나 괴로울까? 공교육에 근무하면서 다시 한번 영어교육에 대한 고민이 시작되었다.

중, 고등 입시 영어를 가르쳐본 나의 경험이 득인지 독인지는 아직도 나를 괴롭힌다. 초등 아이 영어 수준을 보고 중, 고등학교 영어 내신, 수능 성적을 예상하는 버릇이 아직도 있다. 나는 결국 수업 방법을 바꿨다. 공교육에서는 내가 테솔 대학원에서 배운 교수법 그대로 수업하면 가장 이상적인 수업이었다. 하지만 각 수업에는 교사의 재량권이 있다. 나는 방학 때마다 한 학기 분량의 학습지를 만들었다. 고학년의 경우 1과가 6차시씩 있다면 나는 일정한 패턴으로 수업했다. 1차시는 교과서 도입 부분 수업과 단어 쓰기, 2차시에는 교과서 수업과 영어 스피킹, 3차시에는 교과서 수업과 읽기 활동, 교과서를 기반으로 하되 각각 차시별 다른 활동으로 아이들의 영어가 확장되게 수업을 만들었다.

한 학교에서 9년간 영어교과 전담 강사로 근무하는 동안 해가 갈수록 학생들한테 받았던 평가점수가 점점 올라갔다. 영어를 싫어했던 아이들이 영어를 좋아하게 되었고 학원에서 영어가 어려웠던 아이가 내 수업을 듣고 영어가 쉽다고 말한 아이들의 평가를 보고 눈물이 났다. 나는 아이들이 솔직하다고 본다. 내가 생각했을 때 부족했던 부분은 부족하다고 쓰고 내가 잘했다고 생각했던 부분들을 잘했다고 쓴다. 스승의 날이면 근처 중학교에 간 아이들이 어김없이 찾아왔다.

"선생님. 우리 중학교 영어 선생님보다 선생님이 더 잘 가르쳐요"라고 한마디씩 한다. 그러면 나는 속으로 씩 웃으며 생각한다.

'이 녀석들아…. 선생님은 너희가 다니는 대형 어학원 강사였다.'

학교에서 열심히 근무하던 7년 차에 나는 내 인생에 조금도 상상해 보지 않았던 일이 일어났다. 나는 늘 도전하고 긍정적으로 생각하던 탓에 동화에서 나온 사람 같다는 말을 듣고 살았다. 즐겁다고 생각했던 학교생활이 몇몇 아이들 때문에 힘들어지기 시작했다. 아이들은 50대 담임선생님 시간에 손가락 욕을 하고 창문을 손으로 깨기도 하였다. 수업 시간에 복도를 돌아다니고 색연필을 밖으로 집어 던지는 등 아이들의 행동은 걷잡을 수 없었다.

밖에서 공교육 교실 안으로 들어온 나의 입장에서 보면 '교권'은 없고 '아이들의 인권'만 있었다. 초등학교에서 담임 선생님이 자신을 보호할 방법은 병가, 병 휴직뿐이었다. 나는 영어 전담이었기 때문에 40분만 참으면 된다는 마음으로 수업하였다. 연속 3명의 담임이 바뀐 어떤 반 아이들이 내 교실로 오는 소리가 들리면 심장이 쿵쾅거렸다. 결국 유독 학교에서 분노 장애로 말썽을 피워 유명했던 그 아이를 혼냈던 날 밤 갑자기 가슴이 답답해서 집을 뛰쳐나가는 일이 발생했다. 처음에 나는 잘 몰랐다. 그냥 조금 어지럽고 심장이 뛰기 시작해 체력이 저하된 줄 알았다. 하지만 분노 장애가 있는 아이를 크게 혼냈던 날 밤마다 공황발작이 일어났다. 처음에는 뇌에 이상이 있는 줄 알고 뇌 전문 병원을 찾아갔다.

"선생님, 제 머리가 어떻게 된 것 같아요. 잘못한 것도 없는데 자꾸 심장이 뛰고 가슴이 답답해 폭발할 것만 같아요."

의사 선생님은 내 증상을 보고 "병원을 잘못 찾아왔어요"라고 말씀하셨다. 내가 가야 할 병원은 뇌 전문 병원이 아니라 신경정신과였던 것이다.

눈물이 펑펑 났다. 적은 월급이었지만 공교육에서 아이들을 가르치는 게 좋았다. 학교 이외에서는 영어 교육을 받지 못하는 아이들에게 영어에 긍정적 감정을 갖게 하고 싶었다. 하지만 몇몇 아이들의 계속된 지나친 행동으로 나는 나의 직업에 회의가 느껴지기 시작했다. 병 휴직을 들어갔던 담임 선생님은 공무상 병휴직으로 처리되었지만, 선도위원회를 열어달라는 나의 요구를 학교 측은 받아주지 않았다. 나는 성실하고 열심히 살면 다 되는 줄 알았다. 내 것을 잘 챙기고 부당함을 요구하지 못했던 그 일로 인해서 여전히 가끔 나 자신에게 화가 난다. 초등학교 3학년부터 6학년까지 9년간 교과서 영어를 가르쳤고 방학 때는 영어 캠프를 하는 등 공교육 아이들이 영어에 흥미를 갖도록 노력해 왔다. 이제 초등학교에서 영어 전담 강사를 그만두고 나의 본업을 찾아가야겠다는 생각이 들었다. 내가 20대 때 Grammar in Use를 읽고 영어를 좋아하게 되었으며 폴, 에리카 선생님을 만나고 영어를 가르치는 직업을 하고 싶었던 때 말이다. 나는 나의 재능이 잘 쓰이고 나를 인정해 줄 수 있는 곳으로 돌아가야겠다는 생각이 들었다.

9년간의 공교육 영어 선생님의 생활을 정리하면서 내가 마지막으로 가르쳤던 총 9반의 학생들을 위해 아이들의 사진과 그림을 넣은 팝송 뮤직비디오를 선물로 만들어 주었다. 2022년 크리스마스 선물이자 9년간 나의 학교생활을 정리하는 아이들에게 줄 수 있는 '최고의 선물'이었다. 그리고 영어의 '꽃'이라고 생각하는 초등학교 영어교육 경험은 이것으로 충분하다는 생각이 들었다.

나는 무대에서 춤을 추기 시작했다

지금은 1인 원장, 이제 겨우 10개월, 나는 이 10개월이 3년 동안 일한 것 같다. 초기 비용이 많이 드는 학원보다는 공부방으로 내실을 다진 후 나의 학원으로 확장하고 싶었다. 그래서, 학교를 그만두기로 마음먹은 2023년 1월 추운 겨울 나는 공부방을 할 집을 찾아다녔다. 아이들이 많은 신도시를 알아보았지만, 사람은 결국 본인이 사는 곳에서 크게 벗어나지 못하는 것 같다. 내가 등산을 할 수 있는 나지막한 뒷산과 자전거를 탈 수 있는 한강으로 연결된 도로, 그리고 거실이 넓어서 두 개의 통유리로 햇빛이 쏟아지는 집을 발견한 것이다. 더 놀라운 것은 복도식인데 '내 집' 밖에 없어서 공부방으로 하기에 안성맞춤이었다. 참 신기하다. 늘 노력한 만큼만 결과가 나왔던 삶이었는데 어떻게 한 번에 이런 집을 발견할 수 있었는지 말이다.

초기 홍보만큼은 후회하고 싶지 않았다. 추운 겨울 7천 세대가 넘는 아파트에 전단을 몸에 골병이 날 정도로 붙이고 다녔다. 또한, 제일 먼저 한 것은 블로그 개설이다. 나는 애초에 내가 포장을 잘 못하는 사람이라는 것을 알고 있으므로 나의 진심을 담은 영어 교육 철학을 보여드릴 방법은 블로그 글이라는 생각이 들었다. 얼마나 고마운 일인가? 사업하는 사람 입장에서 매달 홍보비도 안 내고 공짜로 나를 홍보할 수 있는 최고의 기회이다. 나는 공부방 오픈전에 50개 이상의 '나의 영어 교육 철학'에 관한 글을 작성했다.

이 작은 공부방 거실은 나만의 무대이다. 이제는 누구에게도 간섭받지 않고 18년간 내가 갈고 닦은 경험, 지식이 비결이 되어서 아이들에게 마음껏 쏟아부을 수 있다. 40대의 적지 않은 나이에 나는 혼자 신이 났다. 아이들 교육만큼은 투자를 아끼지 않겠다며 12개월 할부로 75인치 전자칠판을 구매했고 3주가 걸려서 가장 인기 있는 교실용 책상을 받았다.

영어 강사와 원장의 역할은 예상했던 것보다 더 많이 달라졌다. 학원에서 강사로 근무할 때는 나 혼자 60명의 아이를 가르치면서 원장님의 수입을 계산해 본 적이 한두 번이 아니었다. 지금 생각하면 학원에서 정해준 커리큘럼, 교재로 수업했기에 수업에 더 집중할 수 있었다. 원장이 하는 일은 그 뒤에 있는 안내문, 결제, 마케팅 등 눈에 보이지 않았던 학원 운영에 관한 일들이 매우 많다. 건강을 생각하며 주 4회만 일하고 쉬엄쉬엄 일하겠다는 나의 결심은 역시 큰 의미가 없었다. 내가 대학 때 6시에 일어나고 회사에 다닐 때 새벽 5시에 일어난 것처럼 나는 금, 토, 일 내내 수업 준비를 하고 평일 오전에는 아이들에게 좋은 에너지를 주기 위해 반드시 운동한다. 역시 사람은 변하지 않는다.

영어 공부방을 시작하면서 제일 먼저 경계했던 것은 '고인 물'이 되는 것이었다. '가르치는 직업'은 아이들을 대상으로 혼자 일하기 때문에 권위적인 선생님이 되기 쉽다. 큰 학원은 동료라도 있지 공부방은 1인 원장이기 때문에 더더욱 고인 물이 되는 것을 경계해야 했다. 영어교육은 단순히 지식 전달을 하는 것이 아니다. 아이들이 영어를 좋아하고 긍정적인 감정을 갖게 하는 것도 교육자의 역할이다. 그래서 바쁜 와중에도 출판업계에 종사하는 원장님도 만나고 EBS 강사도 만나고 아이들 심리를 연구하시는 교수님도 만난다. 내가 가르치는 영어가 김연아, 싸이, BTS가 세계속에서 자신을 당당하게 표현했던 것처럼 아이들의 인생에 큰 기회가 될 것이라고 생각한다.

얼마 전 스타강사 김미경 님의 강의를 들었다. "인생의 기회를 잡는 사람과 못 잡는 사람의 결정적인 차이는 바로 준비된 실력"이라는 것이다. 기회는 내가 선택할 수 없으며 준비된 실력이 있는 사람만이 기회를 잡을 수 있는데 실력이 있는 사람은 실력 그물망이 촘촘하므로 어떤 말 한마디에도 여러 가지 아이디어가 떠오른다고 한다. 나는 이제 이 촘촘한 실력 그물망을 가지고 있다. 그리고 매일 매일 꿈을 꾸고 있다. 나의 작은 공부방을 확장하고 학원을 차리고 큰 프렌차이즈를 만드는 꿈을 말이다. 나는 내가 영어교육 콘텐츠를 만들고 책을 출판하고 학부모님들 상대로 큰 강당에서 강의하는 꿈을 꾼다. 나는 나만의 무대에서 이제 춤을 추기 시작했다.

내 삶의 원동력 '머피의 법칙'

나는 여행과 해외 거주에 대한 유튜브 프로그램은 좋아한다. 외국에서 살고 싶냐고? 이미 2년간의 영국 비자를 받고 1년 만에 돌아온 나는 잘 알고 있다. 한국이 가장 내가 살기 좋은 나라라는 것을 나는 영국에서 이방인으로 살면서 이미 경험을 다 했다. 여행을 좋아해서 항상 자연이 드넓은 외국의 삶을 상상한다. 아파트와 빌딩이 많은 한국과 달리 확 트인 자연을 보면 머리가 맑아지고 세상에서 가장 순수한 어린아이가 되는 기분이다. 얼마 전 내가 자주 보는 유튜브 프로그램인 '뉴질랜드 시골 가족'을 보다가 문득 나의 고2, 고3 담임 선생님이 떠올랐다. 뉴질랜드에서 사는 한 남자분은 얼마 전 떠난 어머니의 유품인 성경책을 넘겨보며 어머니를 떠올린다. 끝이 다 닳아 노랗고 너덜너덜해진 성경책에 각기 다른 색으로 빼곡히 그어진 문장들을 보며 아들에게 남은 인생을 어떻게 살아야 하는지 알려주는 내용이었다. 나는 문득 '내가 변함없이 성실하게 살아갈 수밖에 없게 만들어 주신 두 명의 고등학교 담임 선생님'이 생각났다.

나는 잔머리를 쓸 줄 모르는 사람이다. 사실 이것이 내 성격의 단점이자 장점이기도 하자. 어떤 사람들은 참 운이 좋아 보인다. 공부를 적게 하고 시험을 잘 보고 어쩌다가 숙제 검사를 한 날, 그날만 숙제해 온 아이들도 있다. 신나게 떠들다가 3초 얌전히 있었는데 담임 선생님은 그때 들어오신다. 하지만 나는 이런 아이들과 거리가 먼 삶을 살았다. 내가 엄청나게 맞은 적이 인생에 딱 3번 있는데 한번은 초등 5학년 때 옆 짝꿍에게 시험지를 보여줘 짝꿍이 반에서 1등을 하고 내가 2등을 한 적이 있다. 나는 그날 엄마가 더 이상 나에게 못 오게 아빠와 오빠가 나를 방에 가두는 진기한 경험을 했다. 그리고 고등학교 2학년 때와 3학년 때 담임 선생님들한테 손바닥에 달걀을 올려놓으면 후라이가 될 정도로 손바닥을 맞았다.

나는 숙제를 미리 안 하면 못 노는 성실한 아이였는데 시간이 지나면서 담임선생님이 숙제 검사를 안 하자 나만 해가는 것이 억울해지기 시작했다. 내가 처음으로 숙제를 안 해간 날 선생님이 반 전체 숙제 검사를 했고 나는 그날 손이 빨개지도록 맞았다. 고3 때는 남녀공학으로 상반, 하반으로 나누어 보충 수업을 했다. 시간이 지날수록 여학생들이 보충 수업을 안 가서 어느 날은 남학생들만 있는 상태에서 덩그러니 나 혼자서만 앉아 있었다. 나는 좀 부끄러웠다. 결국 그다음 주에 처음으로 보충 수업을 안 갔는데 역시나 이날 담임 선생님한테 손바닥에 불이 날 정도로 맞았다.

그 당시 '머피의 법칙'이라는 단어가 떠올랐다. 어떤 일을 하는데 선택이 있고 그중에 나쁜 결과를 불러오는 선택만 하는 것이 '머피의 법칙'인데 그게 바로 내 인생이구나! 아이들은 3개월 동안 숙제를 안 해왔지만, 나는 처음으로 한번 안 해온 날 선생님께 혼났다. 다른 아이들이 맨날 빠져서 나도 한번 보충 수업을 빠졌더니 하필 그날 검사를 한 것이다. 오죽하면 친구들이 "이보미가 빠지면 빠지지 말자"라고 할 정도였다. '나는 항상 성실하게 열심히 살아도 어쩌다 한번 안 하면 이렇게 운 나쁘게 걸리는구나'를 깨달은 고등학교 때부터 내 인생에 잔머리를 쓴 적이 한 번도 없다. 왜냐면 잔머리를 쓰면 꼭 걸리게 될 운명이기 때문이다.

20살이 되자마자 아르바이트를 하면서 물건 판매를 하면 1위를 했었고 대학에 다니면서 늘 학점을 4.0으로 장학금을 받았으며 새벽 5시에 일어나 출근 전 영어학원 수업을 듣던 내 삶의 태도는 바로 이 두 분의 고등학교 선생님들 덕분이다. 얼마나 내 인생의 충격적인 일이었으면 졸업 후 20년이 지나도 담임 선생님 이름을 기억하고 있을까? 오늘도 수업 시간에 아이들이 나한테 말한다.

"선생님! 왜 맨날 내가 숙제를 꼬박꼬박해 올 때는 검사를 안 하고 왜 하필 오늘 하루 안 했는데 검사를 하세요?"

"이 녀석아…. 내가 네 숙제 검사를 안 한 것은 네가 숙제했다는 것을 알고 있었기 때문이고 내가 하필 네가 숙제를 안한 오늘 검사한 이유는 네가 숙제를 안 할 정도면 이 반은 관리가 안 된다는 뜻이기 때문에 한꺼번에 검사를 한 것이다."

초등 고학년 자녀를 둔 학부모님은 나에게 아이들 교육 상담을 하신다. 아이의 머리가 나쁜 편이라고 말씀하신다. 자기 아이는 착하고 성실하고 숙제를 안 해가면 큰일 나는 줄 아는데 머리가 나빠서 항상 결과가 좋지 못하다고 한다. 나는 학부모님한테 늘 말한다.

"아이들의 역량은 다 달라요. 사실은 공부도 재능이거든요. 그런데 속도가 느리고 성실한 친구는요. 양을 조금 늘리고 시간을 길게 잡으면 됩니다. 제가 살면서 수천 명의 아이들을 가르쳤지만 똑똑해도 성실한 아이들이 1등이겠지요. 그다음은 똑똑하고 성실하지 못한 아이일까요? 아니면 좀 느려도 성실한 아이일까요? 후자입니다. 토끼와 거북이에서 거북이가 이겼잖아요. 아이들도 마찬가지예요. 중, 고등학교 때 성적 조금 안 좋아도 이런 친구들은 결국 본인이 하고 싶은 거 합니다. 누구나 원하는 학교에 가면 좋지요. 하지만 아이 인생을 길게 봤을 때 본인이 하고 싶은 일을 하며 즐겁게 살아가는 아이의 삶이 낮지 않을까요? 공부 재능이 크지 않은 아이들은 어머님이 기다려 주셔야 합니다. 이 친구들은 결과가 조금 늦게 나오거든요."

사실 나도 그랬다. 애초에 내 자신이 똑똑하다고 생각하지 않았고 인생에 늘 머피의 법칙이 있었기 때문에 애초에 남들보다 더 노력하고 열심히 살아야 했다. 성실, 책임감, 최선은 늘 나를 표현하는 방법이다.

코이 물고기를 아십니까?

영어 강사가 되기로 결심한 후 나는 행신동 학생이든 대치동 학생들 누구를 데려 놓아도 잘 가르치는 영어 강사가 되고 싶었다. 유아기부터 성인까지 영어가 어떻게 확장되는지 배우고 싶어 32개월 유아부터 고3 수능 수험생까지 가르쳤다. 입시 강사로 일할 때는 중, 고등 문법, 내신 위주의 수업을 하였으며 어학원에서 근무할 때는 말하기, 쓰기 등 언어로써 영어를 가르쳤다. 처음 사교육에서 근무할 때는 나는 성적, 결과를 중요시하는 사람이었다. 사교육에서 특목고 합격, 초등 6학년 때 수능 영어 끝내기를 목표로 엄청난 양과 속도로 영어를 가르쳤다.

테솔 대학원에서 학습이 아닌 '습득으로써의 영어'를 가르치는 방법을 배웠다. 수업 시작하자마자 "7쪽 현재 완료를 보세요"가 아니라 "너희들 미국에 가본 적이 있니?", "두리안이라는 과일을 먹어 본 적이 있니?"로 자연스럽게 수업 주제로 아이들을 끌어들인다. 수동태 공식을 바로 알려주는 것이 아니라 "수동태를 들어본 적이 있니? 왜 영어에서 수동태가 어려울까?" 아이들이 한번 생각해 보면서 관심과 흥미를 불러일으키는 '끌어내기 수업'을 한다.

영어 교수법을 전공하면서 배운 이론 중 가장 생각 나는 것이 있다. 언어학자인 크라센 박사는 아이들은 각각 언어 습득을 결정하는 여과 장치 affective filter(정의적 여과장치)를 가지고 있는데 아이의 감정과 정서가 좋지 못하면 이 필터가 작용해서 아이가 언어를 받아들이지 않는다는 이야기이다. 내가 영유 출신 초등 4학년 때 텝스를 가르쳤을 때 보험 내용이 담긴 영어 지문에서 보험 용어를 질문하고 하루에 단어 200개를 외우며 영어가 싫다고 말한 아이들이 생각났다. 또한, 무서운 선생님께 배운 아이는 30점에서 100점으로 영어 실력이 향상되었지만, 학원을 그만두거나 반을 바꿔 달라는 요청을 하기도 하였다.

9년간 초등학교에서 영어 전담 강사로 근무하며 영어 이상의 '교육'에 관심을 갖게 된 계기가 되었다. 사교육에서 중, 고등 내신 준비를 하며 영어 교과서를 알았지만, 초등학교에서는 영어를 직접 가르치며 어떻게 영어 교육과정을 운영하는지 알 수 있었다. 특히, 공교육에서의 경험은 아이들에게 영미 문화권, 미국 & 영국 영어 차이, 영어가 어떻게 탄생했는지 지도를 그려주며 폭넓은 영어교육을 할 수 있었다.

18년간 영어교육 지식, 경력을 쌓았다면 나는 이제 나의 경험을 바탕으로 아이들에게 좋은 에너지를 주기 위해 자꾸자꾸 돌아다니고 있다. 영어 원서 읽기에 관심이 있어 EBS 영서당 대표님을 만나고 엄마표 영어에 관심이 있어 유명 유튜버를 만나기도 하였다. 큰소리로 자신 있게 100점 맞을 자신이 있다고 말한 뒤 항상 60점을 맞는 아이를 위해 메타인지 책을 읽고 직접 책을 쓴 교수님을 만나기도 하였다. 내가 아이들에게 영어를 가르치는 것은 단순한 지식 전달이 아니다. 아이들이 영어에 긍정적인 감정을 갖고 영어를 배우면서 자신의 꿈을 확장해 나가게 하는 것이 나의 역할이라고 생각한다.

나는 늘 꿈이 있었다. 영어 강사가 된 지금도 나중에 유튜브로 나를 알리고 책을 쓰고 사람들 앞에서 강연을 하는 상상을 한다. 아이들한테 꿈이 있냐고 물어봤을 때 '꿈이 있다'고 대답 하는 아이는 10명 중 3명 정도였다. 그럼 좋아하는 것이 있냐고 물어보면 좋아하는 것조차도 없단다. 꿈이 있고 목표가 있으면 방향을 잃지 않고 가면 된다. 꿈이 없고 목표도 없으면 내가 좋아하는 게 무엇인지 찾아보면 된다. 내가 지금 무엇을 좋아하는지 모르면 '내가 즐거운 순간'이 언제냐고 물어보면 된다. 그럼 내가 즐거운 것을 계속하면 좋아지게 될 것이고 그것은 나중에 꿈, 목표로 연결될 수 있기 때문이다. 아이들의 점수를 반드시 100점을 만드는 것이 선생님의 역할이라고 생각하지 않는다. 영어 실력도 중요하지만 그 과정에서 아이가 가치를 느끼는 영어를 하고 싶다.

얼마 전에 '코이 물고기'에 대한 글을 본 적이 있다. 코이 물고기는 일본의 관상용 물고기로 작은 어항에서는 20센티 미터 크기로 자라고 큰 강에서는 1미터가 넘게 자란다고 한다. 나는 코이 물고기가 자신이 사는 곳에 따라 큰 물고기로 성장하듯이 내가 가르치는 아이들에게 큰 바다를 제공하는 선생님이 되고 싶다. '항상 20살 이후의 아이들이 영어를 쓰는 삶'을 생각하면서 말이다.

그리고 아이들에게 선생님이자, 인생 선배로서 이 말을 꼭 전해 주고 싶다.

"공부에 재능이 없고 조금 느리고 천천히 해도 괜찮아. 단, 포기하지 않고 열심히 하면 다 이룰 수 있어. 대신, 실력은 꼭 쌓아 놓아야 해. 선생님도 그랬다."

memories

English Grammar in Use

A self-study reference and practice book for intermediate students

WITH ANSWERS

Chapter 5

임채윤 원장 시점

국제적으로 노는
나의 아이들을 꿈꾸며

전지적 영어원장 시점

Prologue - My trip, my passion

Never Ending Peace And Love. 인도에서 네팔을 들어가는 관문을 통과하면서 마주한 간판이다. 멋지지 않은가! 영원한 평화와 사랑이라니…. 히말라야 안나푸르나 정상에 만년설은 나의 가슴을 확 트이게 하고 다시 설레게 하는 광경이었다.

결혼 전, 방랑 병이 좀 있었다. 대학 시절 어학연수에 가는 친구들이 주변에 많았다. 또 해외 인턴십을 가는 친구도 어렵지 않게 볼 수 있었다. 막연하게 해외에 나가고 싶다는 생각만으로 신청한 '고려인 돕기 운동본부'라는 봉사활동 단체. 많은 나라가 있었지만 이름도 생소한 키르기스스탄 지원서에 내 이름을 올렸다. 광활한 대지와 넓은 호수가 있던 풍광이 아름다운 나라 '키르기스스탄'으로부터 나의 여행은 시작되었다.

유럽, 아시아, 아프리카 대륙까지. 대학 졸업 후에도 정식으로 구직하지 않고 아르바이트만 계속했던 이유는 여행자금만 마련하고 바로 그만두고 떠날 수 있기 때문이었다. 이렇게 나의 삶에서 '여행'이 가장 중요하던 때가 있었다. 아마 삐니보틀만큼이나 많은 나라를 다녀오지 않았을까.

그러는 사이 나와 내 주변인들도 어느새 나의 방랑 병이 옮은 것 같았다. 여행 계획을 나에게 공유하고 의견을 물으며 흔히 여행하는 국가뿐만 아니라 이름조차 낯선 오지 여행길에 올랐다. 후엔 이런 경험의 확산 탓인지 아직 내가 가보지 못한 국가들을 간다며 자랑하던 친구도 생겼을 뿐만 아니라 심지어 본인의 적성을 찾다보니 대사관에 취직한 친구가 생기기도 했다.

키르기스스탄에서 맡은 분야는 유아교육 봉사 중심이었다. 일손이 모자라서 미용 봉사와 문화공연도 함께 준비했지만, 그때 나는 줄곧 아이들 과외를 했었고, 방학 때면 영어학원에서 강사로 일할 때라 아이들을 가르치는 일이 가장 자신 있었다. 그때가 아마 지금의 세계적인 인기스타, 캐릭터 계의 BTS '뽀로로'가 처음 등장했던 시기라 뽀로로에 등장하는 캐릭터들로 모든 작업을 했던 게 기억난다.

키르기스스탄에서 만난 친구 현주, 그녀를 통해 '지구촌 대학생 연합회(Global Student Union)'를 알게 되었다. 베트남을 비롯하여 NGO 해외 탐방으로 동남아, 동북아 여러 나라에 봉사활동 하게 되었고, 다니던 교회 단기 선교 차원으로 캄보디아, 인도네시아 등 빈민 국가를 경험하면서 많은 이들과 만남을 통해 환경, 인권, 아동문제에 관심을 가지게 되었다.

특히 그 가운데 매번 가장 눈길이 가는 것은 바로 아이들. 생업과 낙후된 환경으로 배움의 기회조차 없던 아이들, 그럼에도 배움의 갈급함과 주어진 기회에 주저 없이 도전하는 모습과 갈망하던 그 진심은 나에게 작은 꿈을 심어 줬다.

원래 나는 공대생에 가까웠다. 단순히 해외를 나가고파 시작했던 나의 여행은, 회색빛의 건축물로 뒤덮인 세상에 따뜻한 색을 입히고 싶어 선택하게 된 환경조경 전공에서 유아교육과로 전과하게 된 계기가 되었다. 풀과 나무가 아니라 사람과 사람 사이의 진정한 평안과 사랑을 꿈꾸며 개인의 삶과 인생 가치 실현을 위한 방향성과 동력이 되었다. 이 글을 쓰게 된 계기를 만들어 준 소소한 나의 이야기를 공유하고자 한다.

국제 교육봉사활동 - From Chiang Mai, Thailand

어느 해 겨울방학, 남동생이 영어 캠프를 다녀오고 나서 갑자기 그 캠프를 주최한 대안학교에 가겠다고 했다. 평소에는 아예 관심도 없던 애가 어떻게 무엇에 끌렸기에 영어에 관심을 느끼고 왔던 걸까? 남동생과는 나이 차이가 좀 있어서 남동생과 그의 친구들을 묶어 줄곧 과외를 해주곤 했는데 한 번도 느껴보지 못한 반응이었기에 그 학교에 대해 궁금증이 생겼다. 그래서 나는 바로 그 학교 교사로 지원했다.

그런데 웬걸, 나는 분명 학교에 교사로 지원한 것인데, 갑자기 태국 교사로 보내진다고 하였다. 학교 측은 국제학교를 잘 다듬어서 대안학교 친구들도 꾸준한 캠프를 통해 태국 아이들을 가르치며 서로 성장하는 것을 목표하고 있었다. 의도치 않게 해외 경험 많은 내가 1번 타자가 된 것이다.

이미 한차례 태국에 다녀온 경험이 있었기에 살짝 걱정되었다. 그전에는 여행의 설렘 때문에 먹고 마시며 지내는 모든 것들이 좋았지만 굳이 여행이 아니라 다른 목적으로 다시 가고 싶지는 않았다. 습한 기후와 향신료 많은 음식, 그리고 꼬부라진 글씨들과 알 길 없는 언어….

다행히 치앙마이는 태국의 북쪽에 있고 예상과는 달리 숨 막힐 정도로 습하진 않았다. 물론 우리나라 여름보다는 좀 더 더운 정도였다. 그리고 일교차가 커서 밤에는 겨울 파카를 입는 이들도 있었다. 아, 전기장판 가져올걸.

첫 음식의 강렬함을 잊을 수 없다. 고수, 고수, 또 고수. 이리 보고 저리 봐도 모든 음식에 고수가 적건 많건 다 들어 있었다. 이건 좀 먹을 만하겠다 싶은 음식조차도 향신료의 이질감 때문에 선뜻 입속에서 목구멍으로 넘기기가 쉽지 않았다. 참고로 지금은 없어서 못 먹을 정도로 고수 애호가가 됐다.

앞서 제목은 거창하게 국제학교라 했지만, 태국 치앙마이 농촌지역 아이들을 대상으로 영어를 가르치는 프로젝트이다. 보통의 가정에서는 과외를 하거나 규모가 큰 영국문화원 또는 영어학원을 다닌다. 그러나 이곳은 낙후된 시설, 학교가 멀어 자전거로 통학하거나 형편이 좀 나은 아이는 버스로 이동했고, 학교가 끝나면 집안일을 돕거나 농사일을 돕는 아이들이 대부분이었다.

국제학교 교실 한쪽을 개조해 선생님들이 잠을 자고 밥을 먹는 곳을 만들었고 태국 아이들을 교실로 초대했다. 그나마 빈민가는 아니어서 모두 학교에 다니는 친구들이었고 좋은 컨디션은 아니지만 학용품도 살 수 있는 아이들이었다. 최상의 교재와 자료들이 풍부한 한국 아이들을 가르치는 것과는 상당히 거리가 멀 정도로 아무런 준비 없이 그저 맨몸으로 시작했다.

태국어를 모르지만, 아이들의 이해를 돕기 위해 태국어로 되어있는 영어교재를 사용했으며, 그나마 제일 저렴한 교재를 사야 했고, 그것도 모자라 대부분 파일을 복사하거나 프린트해서 사용했다. 제일 재밌는 수업은 노래 틀고 춤추며 익히는 시간. 역시 몸으로 익히는 게 제일 빠르다. 아이들도 신나고 나도 신나고!

한창 더울 때는 온몸에 땀 범벅이 돼서 수천 번 부채질해가며 수업이 끝나고 샤워할 수 있기만을 간절히 기다려지던 날도 많았다. 교실 하나에 선풍기 하나가 전부였기에 모두 그 앞에만 착석하려는 아이들. 그래도 앞에서 가르치는 내 얼굴을 뚫어져라 처다보며 매일 하나씩 습득해 가는 친구들을 보니 너무 예쁘고 더 열심히 가르칠 힘이 났다.

경험이 부족한 초보 선생님이었지만 아이들은 잘 따라와 주었고 열심히 공부했다. 10개월의 프로젝트를 마칠 때쯤에는 크리스마스 공연을 하기로 했다. 어렵게 대본을 구하고 수정하며 수업을 준비했다. 처음에는 이게 과연 될까 생각했지만, 아이들은 매일 서로 주고받으며 연기 연습을 했고 수십 장의 대본을 모두 외워서 동생들을 가르친 반장 형도 있었다.

또 우리에게 밥을 맛있게 해준, 우리 나이로 16살인 학교 영양사 친구도 영어를 함께 배우길 원했다. 동생이 이 학교에 다니고 있어서 함께 하게 된 이 언니가 사실 제일 열정적으로 공부했다.

큰아이들이 어린 동생들을 이끌어가며 수업하니 대사도, 춤도 빨리 익혔다.

아이들은 공연에 앞서 소품들을 마련해 왔고, 어설펐지만 그 모습들이 너무 귀했다. 학교 강당에서 리허설을 하면서 무대를 멋지게 꾸미고, 온 마을 사람들을 초대했다. 촌 동네의 이런 귀한 광경은 뉴스 기삿거리일 듯했다. 마을 주민들은 잔치를 꾸며주려고 앰프까지 보조해주고 순식간에 이 작은 발표회는 마을잔치가 되었다. 그렇게 우리가 준비해온 춤과 노래, 연극 등으로 온 마을 사람들을 즐겁게 해주었다.

생각해보라. 나와 이 아이들은 정말 말이 하나도 안 통하는 이들인데 이렇게까지 서로 소통할 수 있다는 게 얼마나 놀라운 일인가! 앞니 빠진 밝은 얼굴로 "Hello!" 하며 웃는 게 다였던 아이들이었는데 이제는 떠듬떠듬 책을 읽었고, 부끄러워하긴 했지만 단 한 명도 일상 영어를 쓰지 못하는 아이가 없었다.

아이들이 영어 하나로 자신감을 얻으니, 학교에서 다른 공부도 열심히 한다고 했다. 유일하게 학교에 다니지 않고 이곳 국제학교에 단지 일하러 왔다가 엉겁결에 영어 공부를 같이했던 어린 영양사 친구는 열심히 노력해서 한국에 공부하러 가겠다는 꿈을 가지게 되었다.

밑바닥부터 시작한 우리의 여정이, 아이들이 꿈을 꾸게 하는 일로 마무리 된다는 것은 참 아름다운 일이었다.

'꿈꾸지 않으면, 사는 게 아니라고….
배운다는 건, 꿈을 꾸는 건, 가르친다는 건, 희망을 노래하는 것!'

― 간디학교 교가 <꿈꾸지 않으면> 中

스스로 놀이가 곧 배움 – Montessori

미국 여행은 그전과는 조금 달랐다. 여행이라기보다 일정 기간 살기 위해 짐을 크게 꾸리고 출발하였기에 생활 정착을 위해 마음가짐을 달리했다. 미국에서는 시애틀 Kimberly 선생님 댁에 머무르며 주일마다 한인교회 사람들과 교류했다. 출근하고 퇴근하면 리포트 쓰고 다음 수업 준비를 하며 하루하루 바쁘게 지냈다. 아직 신입이라 주급이 넉넉하지 않아서 월세를 모으려고 베이비시터, 홀서빙 등 아르바이트도 했다.

희한하게 미국에서 어딜 가보려는 생각은 그리 쉽게 들지 않았다. 예전 같았으면 여기저기 찾아다녔을 텐데, 땅덩이도 워낙 크고 총기사고를 비롯해 각종 사고에 겁도 조금 났었나 보다. 여행을 다니기보다는 주일에는 교회에 나가 찬양 봉사를 하고 인맥을 넓혀서 한인사회에 들어가려고 했다. 그러던 중에 교회 사모님께서 나를 너무 예쁘게 보셨다. 본인 아들이 나와 같은 또래인데 같은 청년끼리 믿음 생활을 함께 재밌게 했으면 좋겠다고 밥이라도 같이 먹으라고 권하셨다.

그냥 밥 먹고 친하게 지내라는 말씀이었는데…. 현재 한 집에서 둘이 함께 한 가정을 꾸리고 일생을 함께할 동반자가 되었다. 아니, 아들이 좀 잘생겼어야지, 그냥 보고만 있어도 웃음이 절로 났다. 심지어 목소리도 멋있고, 매너까지 너무 좋은 사람이었다. 원래 미국 사람들은 다 이런가? 그렇게 우리는 지금 한솥밥을 먹고 산다.

이쯤 되면 내가 미국에 가게 된 이유는 정통 몬테소리를 배우고 싶어서가 아니라 남편을 만나기 위함이었는지도 모르겠다.

미국에 가기 전에는 건국대학교 TESOL, 초등영어교육과 석사과정을 전공했다. 학업과 병행하며 영어 유치원(학원)에서 어린 친구들을 가르치고 있다가 문득 이 아이들이 조금 안타까운 생각이 들었다. 하루 종일 모국어인 한국어를 쓰고 싶어서 입이 근질근질하던 친구들에게도 미안했지만, 그보다는 조막만한 손에 연필 쥐고 책으로 하는 학습량이 너무 많은 것 같아서 과연 다른 나라에서는 아이들에게 어떻게 교육하는지 궁금해졌다.

마침 연세대학교에서 몬테소리 수업을 듣던 중에, 교육의 연장선으로 미국에 가서 직접 실습하며 취업으로 이어지는 프로그램에 참여하게 되었다. 와우! 드디어 꿈에 그리던 미국에 가게 되다니. 날짜는 다가오는데 준비하는 기간에 해야 할 일들이 너무 많았다. 신체검사부터 비자 발급 절차 등등 여간 까다로운 게 아니었다. 수없이 많은 나라를 여행했지만 이렇게 까다로운 나라는 미국이 처음이었다.

미국 워싱턴 MIA 본부. 정확히 말하면 캔트라는 아주 작은 도시에 있었다. 국제 몬테소리는 MIA를 비롯 AMI, AMS, AMA가 있고 MIA는 규모는 작지만, 몬테소리 창시자인 마리아 여사의 철학과 정통 있는 미국 단체이다. 대표적으로 시애틀 태생의 빌 게이츠가 교육받은 협회로 유명하다.

실습으로 온 학생은 필리핀, 일본, 멕시칸 등 다양했고 교수진들은 모두 미국인이었기에 모든 수업을 영어로 진행했다. 거기에서 내가 이렇게 영어를 못 알아듣는 사람인지 정말 새삼 깨달았다. 한국에서 함께 온 선생님 아니었으면 어쨌을까 싶다. Thanks, Ghari. 그래, 확실히 영어는 책으로 하는 게 아니라 계속 듣고 써먹어야 훈련이 된다.

한국에서 교육을 모두 받았기에 기본 훈련만 마치고 본격적으로 실습 현장에 나가 근무하는 코스를 거쳤다. 대상은 3세부터 중학생까지 있었지만 주로 어린 친구들이 있는 kindergarten school에서 실습했다. 거의 모든 반은 인종과 문화가 다양했다. 그들의 문화를 존중하기 위해 공부해야 했고, 학부모님과의 소통도 중요했다. 기본적으로 음식을 먹는 것과 낮잠 자는 방식도 모두 달랐다.

재밌는 것은 원장의 출신지에 따라 원의 색깔이 정해지고 기도방을 포함한 인테리어 구조부터 수업 동선까지 그 나라의 특색이 녹아있었다.

드디어 취업에 성공하여 적은 돈이지만 주급을 받으면서 일하게 되었다. 몬테소리는 연령 구분이 없이 큰 교실 하나에 아이들이 학습할 만한 환경을 제공해 주고 아이들은 스스로 자기 영역을 개인 매트로 표시하고 교구를 옮겨와서 과업을 수행하는 교육이다. 선생님들은 매주 돌아가며 자신의 주제를 정하고 그에 맞는 매일의 교구 프리젠테이션으로 하루를 시작했다.

몬테소리는 아이들에게 'work (일한다)'라고 말한다. 아이들도 이것을 진지한 일(작업)이라고 생각한다. 본질적으로 아이들에게 일이란 놀이를 하는 것이다. 솔직히 하루 대부분을 아이들은 정말 쉴 틈 없이 놀다가 귀가한다. '우리가 먹고 싶은 음식들은 다 필요한 영양소가 있어서 몸이 그것을 알아서 찾고자 하는 욕구가 생긴다.' 하는 것처럼, 아이들의 작업 또한 필요한 영역이 있어서 스스로 관심을 두게 하는 게 아닐까?

등원하면 먼저 아이들 스스로 옷과 가방을 정리하고 교실에 들어온다. 고사리 같은 손으로 바닥에 큰 옷을 펼쳐두고 옷걸이를 넣은 후 단추를 매는 것까지 오자마자 열심히 하는 모습이 너무 귀엽다. 고작 만3~4세밖에 안 된 아이도 선생님의 도움을 요청하는 일이 결코 없다. 아이들은 성취의 기쁨을 느끼고 싶어 한다.

신발 정리까지 마친 후 교실에 들어오면 바닥에 큰 타원형의 라인을 따라 천천히 걷는 서클타임이 있다. 선생님 뒤를 따라 양팔을 벌려 걸으며 때론 머리 위에 얹은 콩주머니에 집중하고 때로는 타악기를 박자에 맞추어 연주하며 하루를 계획하는 명상의 시간을 갖는 것으로 친구들을 맞이한다.

아이들이 모두 모였을 즈음, 선생님의 Theme 발표수업 끝으로 11시까지 자유 선택 수업이다. 선생님은 교육자료를 준비만 하는 것이고 놀이의 중심에는 늘 아이들의 선택에 있고 자신이 좋아하는 놀이 영역에서 일(work)을 하고 정리하는 것을 끝으로 작은 성취를 경험한다.

11시부터 한 시간은 아이들과 바깥 놀이를 간다. 눈이 오나 바람이 부나 춥거나 덥거나 상관없이 무조건 야외에 나가야 한다. 보통은 나뭇잎과 작은 돌멩이들로 놀기도 하지만, 아이들은 우비 입고 장화 신고 가는 비 오는 날을 특히 좋아한다. 비 오는 날에는 놀이터 바닥에 깔린 나뭇조각에 물감칠 놀이도 하고, 흙은 축축한 진흙처럼 변해서 첨벙첨벙 일부러 웅덩이를 지나다니고 반죽해서 모양 빚기 놀이도 한다.

신나게 아이들이 놀고 있을 때, 교실에 있는 선생님은 아이들 가방에서 도시락을 꺼내서 전자레인지에 데워주거나 포장을 벗겨 바로 먹을 수 있게 점심을 준비하고 무전으로 바깥에 있는 아이들을 부른다. 우비와 장화를 정리하고 12시까지 아이들은 각자 싸온 음식을 부지런히 먹는다. 바깥놀이 후에 먹는 음식은 맛이 없을 수가 없다. 재미있는 것은 아이들이 서로의 음식을 탐색하고 궁금해하며 가정에 돌아가서 부모님께 이야기를 했다. 꿀 같은 낮잠 시간이 지나고, 일어나면 흥겨운 노래에 맞춰 신나게 춤을 추고 신체활동을 할 수 있는 놀이 체육을 한다. 날씨가 좋으면 바깥 산책을 가거나 자유롭게 귀가한다.

아이들을 대하는 부모의 모습도 신선하다. 아이가 잠옷을 입고 오거나 한여름에 털옷을 입고 오거나 불편한 드레스를 입어도 그것을 그대로 존중해 주고 아이가 선택한 모습 그대로, 있는 모습 그대로 내버려 둔다. 머리가 부스스하거나 자기가 잘라버린 삐뚤빼뚤 머리카락도 그냥 둔다. 아이의 독립성을 인정해주고 아이 스스로 성장하길 바라봐 주는 것이다.

부모와 선생님의 개입을 최소화하며 관찰자 역할 또는 코칭 역할을 하는 것, 아이 스스로 계획하고 판단하고 실행하며 여러 시행착오도 해보고 마음껏 무언가 할 수 있는 자유를 주는 것, 틀리고 맞고가 아니라 누릴 수 있게 주는 것, 책이 아니라 자연을 더 즐기는 것, 이렇게 아이들은 놀면서 배우고 더 크게 성장할 것이라 믿는다.

문제해결 리더 PSL(Problem Solving Leader)

어제 부모님과의 저녁 식사 자리에서 남동생 어렸을 적 이야기를 했다. 아빠는 나와 동생의 유럽 여행은, 지나고 보니 자신이 아들에게 한 가장 어리석고도 가장 잘한 일이라며 회상하셨다.

2005년 당시 남아공 어학연수에서 만난 유럽 친구들의 초대에 응하러 나의 로망이었던 유럽 여행을 단숨에 계획했다. 유일하고도 어려운 관문이 남았다. 내가 가장 존경하지만 두려워하던 아빠의 허락이었다. 특히 그 당시에 런던 폭탄 테러 사건 등 뒤숭숭한 일들이 유럽 전역에 일어나던 시기라 더욱 마음졸였다. 허락을 구하기 위해 아빠에게 스카이프로 연락했고 의외로 돌아온 대답은 간단했다. '남동생을 보낼 테니 함께 가라'가 그 조건이었다.

당시 동생은 14살 미성년자였으며 영어도 몰랐고 심지어 버스를 타고 서울 시내에 나가본 적도 없었다. 그런 아들을 아무 생각 없이 직항도 아닌 홍콩 경유 영국행 비행기에 홀로 태워 보낸다는 게 아무런 걱정거리도 아니었다고 하셨다.

남아공과 한국에서 각자 출발한 우리의 랑데부는 히스로 공항이었다. 동생이 영국행을 준비하는 동안 키르기스스탄 봉사활동에서 인연을 쌓았던 그리고 당시 스코틀랜드 에든버러에서 근무하고 있던 친구 현주와 오랜만에 재회하여 나와 동생의 여행을 함께 계획했다. 당시에는 인터넷에서 얻는 정보는 턱없이 부족했다. 한국에서 날아올 동생에게 여행 책자인 론리플래닛을 부탁하고 설렘과 흥분이 가득한 며칠을 보냈다.

마침내 동생을 만나기로 한 그날. 에든버러에서 런던까지의 이동 시간과 비행기 랜딩 시간을 체크하고 기차와 버스로 이동했다. 현주와 더 있고 싶은 아쉬운 마음을 뒤로한 채 정말 여유 있게 출발했다 생각했는데 예상하지 못한 교통체증…. 이미 비행기 랜딩 시간은 훌쩍 지나가고 있었다.

미성년자에 대한 항공사 에스코트는 성인 보호자에게 인계해야만 임무가 끝난다. 정작 보호자였던 나는 도로에 갇혀 있으니 동생은 공항에 그대로 묶여버렸다. 한참 동안 기다리다 한국에 있는 부모님에게 연락이 취해졌다. 인계할 대상이 없어서 그대로 다시 귀국해야 한다고….

내가 할 수 있는 일이라곤 발을 동동 구르는 것뿐이었다. 그사이 현주가 항공사에 연락하여서 지혜롭게 시간을 벌어줬고, 통화 후 30분이 더 늦게 공항에 도착해 겨우 동생과 재회했다. 영어도 몰랐고 심지어 버스를 타고 시내에 나가본 적조차 없었던 14살 어린 소년. 누나와의 짜릿했던 유럽 여행의 시작은 많은 시간이 흐른 지금까지도 세상 제일 행복했던 기억이었다고 말한다. 아빠의 탁월한 기획으로 인해 동생은 어린 나이에 쉽게 할 수 없는 값진 경험을 했다.

아빠는 우리 삼 남매에게 늘 많은 것을 보여주고 경험하게 해주셨다. 하얀 눈이 펑펑 내리는 어느 겨울날 까만색 포니 자동차를 만났다. 그 앞에서 사진도 찍고 시승으로 가까운 동네를 한 바퀴 돌며 그동안은 걸어서 볼 수 없던 풍경들을 보았다. 매일 보는 우리 동네였지만, 공기까지 다른 느낌이었다. 포니는 우리 가족에게 많은 것을 선물해 주었다. 평일에는 서로 얼굴 볼 새 없이 정신없는 삶으로 바쁘게 지낸 부모님. 하지만 주말마다 강과 산, 들이며 계곡이며 쉴 새 없이 여행을 다녔다.

산에 오르는 게 좋았다. 대학원 산악회 회장이었던 아빠 덕분에 여러 산을 경험했다. 등산하는 게 길거나 짧거나 상관없이 어린 나이에는 참 높고 힘들었을 코스들인데 한 번도 포기하거나 먼저 하산한 적이 없었다. 산을 오르면서 산행하는 어른들이 하시는 "기특하다." "대단하다." 등등 칭찬과 나눠주시는 간식들은 없던 힘도 나게 했다. 역시 아이들에게 약간의 간식거리와 칭찬은 힘든 일도 포기하지 않는 힘을 준다. 산 정상에 올라가 넓게 펼쳐진 세상을 내려다보며 내 맘대로 상상하고 그리면서 눈에 담는 것도 재밌었고 정상에 꽂힌 깃발에서 사진을 찍을 때면, 무언가를 이루었다는 뿌듯함도 생겼다.

계곡에서 입술이 퍼렇게 될 때까지 물장구치고 놀다 나오면 오돌오돌 떨며 먹었던 고기가 그렇게 맛있을 수가 없었다. 엄마는 찌개에 다른 밑반찬까지 주변인들과 나눠 먹자고 수줍음 많은 내게 심부름시키기도 하셨다.

강은 또 어떤가. 언니 오빠들이 노는 모습이 즐거워 보인다며 꼬맹이 발이 닿지 않는 깊은 곳까지 헤엄쳐서 아빠 엄마가 안 보이는 데까지 떠내려간 적도 있다. 마침 누군가의 도움으로 겨우겨우 텐트로 돌아와 아무 일도 없었던 것처럼 야영 준비를 했다. 말씀은 하지 않으셨지만 다 알고 계셨을 것이다. 위험했을 법한 도전에 나무라지 않고, 늘 웃음으로 격려해 주셨던 모습들이 나를 스스로 단련시켰다.

이따금 지인들과 함께 여행하며 꽃과 나무 이름부터 자생지와 같은 우리가 평소에 쉽게 접하지 못했던 책 밖의 이야깃거리를 설명도 많이 해주시고 유서 깊은 곳이면 꼭 역사 이야기를 들려주시며 여행 전부터 이런저런 자료도 스스로 찾아보게 준비시키셨다. 생각해보면 준비자료와 후기를 담은 것만 모아도 책으로 만들어도 될 만큼 글이며 사진 하나하나가 진심이었다.

어릴 적 가족과 함께한 이런 소소한 경험을 만들어 주신 부모님께 다시금 감사함을 느낀다. 나이를 먹고 자식을 키워보니 작지만 강하게 스스로 삶을 살아가는 방법을 보여주시고 직접 해보게 하시고 존중해 주셨던 모습이 얼마나 대단한 것이었는지 새삼 참 존경스럽다. 30여 년을 한 직장에 몸담으시며 임원을 거쳐 은퇴하셨으면 분명 여기저기서 모시려는 손길들이 많으셨을 터인데, 지금은 손주들과 함께 지내시러 바다 건너 제주에 내려오신 아빠. 여전히 아빠는 우리를 키우셨던 방식으로 손주들 또한 가르치신다.

지난여름, 외할아버지 외할머니와 우리 아들들은 경주 여행을 계획했다. 아빠 스타일대로 주말마다 아이들을 데리고 오름을 오르며 체력을 준비시키고 도서관에 가서 경주에 관한 책을 찾아보게 했다. 아이들은 책을 읽으며 하루하루 여행을 기다렸고 경주 여행은 '아는 만큼 보인다.'라는 진리를 깨닫는 과정이 되었다.

단지 아이들에게 책을 읽는 곳으로 안내만 했을 뿐인데 아이들은 스스로 경주에 관한 책을 검색했고 확장해가며 책을 통해 자신들이 관심 있는 것에 집중했다. 그 가운데 더 눈에 띄는 곳이 생기면 스스로 탐색하고 외할아버지에게 가고 싶은 장소에 대해 브리핑하며 제안했고, 유명한 먹거리와 다양한 프로그램까지 찾아보며 이야깃거리를 많이 만들었다.

어쩌면 아빠는 내가 자라온 삶에 있어서 Problem Based Learning, 문제해결 중심학습을 몸소 체험하도록 알려주셨다. 무모할지 모르는 다양한 상황에서의 여러 문제를, 어떻게 해결해야 할지 스스로 고민하고, 고기를 잡아주지 않고 고기 잡는 방법을 가르쳐 주셨다.

나는 나의 어릴 적처럼, 나의 수업을 통해 아이들 모두가 PSL(Problem Solving Leader) '문제해결 리더'가 되길 바란다. 그 누구도 내 삶을 대신 살아줄 수 없고, 내가 아이들 개개인의 모든 시험을 대신 치러줄 수 없기에 가능한 한 많은 것을 경험하게 하고 싶다. 어떤 주제를 주면 그것을 어떻게 해결할지 생각하고 고민하고, 다양한 방법과 시행착오를 거쳐 스스로 완성에 도달할 수 있도록 조금은 멀리서 지켜봐 주고 격려해 주는 선생이길 바란다. 수업의 주인공은 내가 아니라 우리 아이들이어야만 한다.

인성교육은 사회성과 학습 태도를 낳는다

"영어가 다 무슨 소용이야, 인간이 먼저 되어야지!"
Clare 선생님이 교무실에 데리고 온 학생에게 호통을 쳤다. 일순간 싸늘해진 교무실 분위기, 어린 그 학생이 듣기엔 이게 대체 무슨 말인가 하며 어리둥절했을 만한 이 말은, 책상에 앉아 다른 업무에 열중하던 내 뒤통수를 세게 내리쳤다. 일순간 얼얼했다. 잡힐 듯 잡히지 않았던 '나의 멋진 미래' '성공적 커리어 우먼' 같은 실체조차 불분명한 이상향에 당도하고자 매일 같이 나름의 기준으로, 비슷한 또래의 남들과 비교하면서 아등바등 살아가는데, '과연 나는 인간이 되어있는가?'라는 다소 엉뚱하지만 진지하고 철학적인 질문을 하기에 이르렀다.

당시 나는 편의를 봐가며 조기 퇴근하여 대학원을 다니던 때였다. 물론 매일은 아니었지만, 때때로 선생님들께 미처 처리하지 못한 그날그날의 업무를 부탁하는 일이 종종 생기기도 했었다. 호의가 지속되면 둘리라고 했던가? 어떠한 미안함이었을까? 아니면 상환 없는 빚을 짐에 부끄러움이었을까? 큰소리로 인사도 하지 못한 채 허겁지겁 책상을 정리하고 달려 나가며 가벼운 눈인사만 하였다. 선생님들은 묵묵히 내 일을 도와주면서도 오히려 나를 걱정해

주고 격려했다. 혹여 내가 학원의 공지 사항과 숙지해야 할 것 중 놓친 것이 있으면 꼭 챙겨주셨다. 특히, 일과 학업을 병행하는 모습을 기특하게 여기며 혹여 끼니라도 놓칠세라 뛰쳐나가는 나를 붙잡고 간식을 잔뜩 챙겨주시기까지. 이 책을 통해 함께 일했던 선생님들께 미안함과 고마운 마음을 전해본다.

요즘 직장에서는 과연 서로 도와가는 훈훈함을 찾아볼 수 있을까? 몇 년 전부터 뉴스나 미디어엔 온통 MZ세대를 이야기한다. 세대의 정의가 언제부터였는지 기억은 나지 않지만, 어릴 적 기억을 더듬어 볼 때, 인의예지의 덕목을 기본으로 사회의 일원이 되기 위해선 과거 세대를 답습하고 인정해야만 했던 것과 달리, 최근처럼 '라떼는 말이야'와 같은 말이 사회 통념상 금기어처럼 회자되고 '요즘 사람들은 그렇지 않거든요?'라는 말들에 힘이 실려 오히려 MZ세대를 이해하기 위한 책들과 의식변화를 기업에서 장려하고 있다고 한다. 공동체보다 개인이 중시되는 사회 풍조의 변화. 더더군다나 기술의 발달로 어린 나이부터 제약 없는 정보의 홍수가 범람하는 시대에 자란 요즘 MZ세대 학부모를 대하면서 인성교육이 점점 더 절실해지고 있다.

오늘만 해도 그렇다. 시험지에 오답 처리가 빗물처럼 표시되는 것을 보고 나서 눈이 뒤집히고 씩씩거리며 문제집을 갈기갈기 찢어버린 학생이 있었다. 과거에도 유사한 경험이 있었는데, 이 친구는 사소한 일에 책상을 아주 세게 쿵 내리치며 책을 던지거나 흥분을 잘하는 편이었다.

이러한 상황이 발생하게 되었을 때 부모님들이 대처하는 방식은 통상 두 부류로 나뉘게 된다. "죄송합니다." 사과하고 알아듣게 잘 타이르겠다고 다짐하는 사례와 반대로 "내 자식이 그럴 리가 없다." 혹은 "그건 선생님이 잘못한 거다. 어째서 틀린 문제를 좍좍 그어놨냐, 살살 표시만 해도 알 수 있다." "너무 그런 걸로 기죽이지 말아라. 애가 얼마나 힘들었겠냐."라는 경우가 있기도 하다. 이런 말을 들으면 절로 한숨이 나온다.

전자의 경우는 훈육을 통해 아이가 스스로 변화하고 시간이 지남에 따라 선생님과 라포형성이 되면서 자연스럽게 옳고 그름을 알아간다. 처음부터 모든 행동이 올바르진 않더라도 상황에 맞게 일러주고 가르쳐주면 아이들끼리 주고받는 대화에서부터 함께 작은 사회를 구성하며 예의, 태도를 배우게 된다. 라포형성이 잘 된 아이들은 작은 숙제조차 빼먹지 않는다. 그것 또한 선생님과 하는 약속이라 생각하고 진지하게 실행한다.

문제는 후자다. 부모님까지 이리 나오시면 선생님이기 전에 그저 상처받고 싶지 않은 나약한 인간이 된다. 마음 같아서는 그런 친구는 가차 없이 자르고 싶다. 그래도 나에게 보내진 아이를 그냥 그렇게 내치는 것은, 책임감이랄까? 나에게 와서 이런 행동을 하는 친구는 어디를 가서도 이런 행동이 나오지 말라는 법 없고, 그때마다 이 친구가 내쫓긴다면 어디서도 이 친구를 옳게 서게 만들어 줄 수 없을 것 같은 안타까운 마음에 조금이나마 손을 내밀어 본다.

우선 가장 기본적인 예의인 인사를 잘하도록 한다. 우리 원에 오는 친구들은 다 우렁찬 목소리로 "선생님, 안녕하세요!" 하며 현관을 들어온다. 대부분은 잘하지만, 처음부터 모든 친구가 다 그런 것은 아니었다. "누구야, 안녕? 어서 와"하고 인사를 건네면 돌아오는 건, "네." "그건 인사가 아니고 대답이야. 선생님 안녕하세요, 하고 인사를 해야지?"라고 몇 번을 반복해야 인사를 인사답게 하는 아이로 길러진다. 인성교육의 시작은 바로 인사다. '인사만 잘해도 밥은 먹고 산다.'라고 하지 않는가?

"선생님, 안녕하세요!" 인사가 끝나기 무섭게 신발을 벗어 던지고 원에 들어오자마자 큰소리로 쫑알쫑알하면서 나에게 다가오는 아이도 있다. 안아주고 싶을 정도로 예쁘다. 그렇지만 다시 뒤로 가서 신발 정리, 가방 정리를 하게 한다. 요즘같이 추운 겨울에는 두꺼운 외투가 정리되어 있지 않으면 준비실이 옷더미 산으로 변하는 것은 순식간이다. 내 옷을, 내 신발을 누군가 밟을 수 있다는 것이 기분 나쁠 수 있지만, 내가 치움으로 인해 남을 배려하는 행동이 되었다는 마음이 생기면 저절로 습관이 된다.

인사를 마친 우리 아이들에게 내가 해야 할 일은 바로 아이들의 이야기를 들어주는 것이다. 공부를 시작하기 전 스몰토크 시간은 아이들의 집중력과도 연관 있다고 생각하기에 매우 중요하다.

"오늘 학교에서요, 우리 반에 어떤 친구가…."

"어! 너희 반에도 그랬어? 우리 반은 그것보다 더했더니 선생님이 오셔서…."

별로 중요치 않은 이야기 같지만, 그네들에게는 얼마나 중요한 이야기일까? 어쩜 마치 이렇게 하기로 약속이나 한 듯 모두 하나같이 재잘재잘. 뭐 그리 할 말이 많은지 매일 새로운, 하고 싶은 말 대잔치. 그사이 나는 아이들의 이야기가 흥미롭고 어느새 동화되어 초등학교 4학년이 되어있다. 내 국민학교 생활 경험에 비추어 상상하면서 맞장구쳐주고 지혜를 던져준다.

"선생님, 여긴 숨 쉴 곳 같아서 좋아요."

"선생님은 신곡 나오면 나보다 먼저 알아서 너무 신기해요."

"이상하게 여기서 공부하면 기분도 좋고 집중이 잘 되고 집에서 하면 집중이 잘 안 돼요."

다른 얘기지만, 요즘에는 아이돌 댄스 추는 애들이 왜 이리 예쁜지 모르겠다. 딸이 없어서 그런가, 사람들 눈치 안 보고 길에서도 춤추며 걷는 아이들이 춤을 잘 추든 못 추든 너무 귀엽고 예쁘다. 그러니 우리 원 애들 춤추는 모습은 환상적이고 사랑스럽지. 너희들과 눈 맞추고 대화하고 싶어 신곡 찾아 듣고 아이돌 이름을 외우며 애쓴단다.

아이들은 나에게 집에서 부모님과 나눌 수 없는 친구들끼리나 하는 비밀 같은 이야기를 스스럼없이 한다. 당연히 내가 전하지 않을 거란 걸 믿고 아주 편하게 얘기하는 아이들이 마냥 예쁘고 고맙다. 아이들이 오므렸다 펴는 입술이 뽀뽀하고 싶을 만큼 귀엽다. 이렇게 라포형성이 시작된다. 특히, 학부모님들과 아이들 상담을 할 때면 가정에서는 대부분 몰랐을 아이들의 행동과 이야기들을 나는 진작 알고 듣고 있었음에 감사하게 된다.

아이들끼리 서로 주고받는 이야기들을 듣다가 나의 개입이 필요할 때쯤, 조금은 어른인 내가 선생님이 아닌 친구 같은 답변을 해주면 아이들은 그걸로도 행복해한다. 사실 아이들이 가정에서 부모와 함께 대화할 시간이 얼마나 있을까 싶다. 하루 한 시간은 할 수 있을까? 나 역시 내 아이들과 대화 시간이 더 필요하다.

이렇게 한 바퀴 예열이 되고서야 비로소 자리에 앉는다. 한꺼번에 하고 싶은 말들을 쏟아냈으니 당연히 공부에 집중도 하고 다음 쉬는 시간을 기약하며 문제지에 몰입한다. 제시간에 하지 않으면 쉬는 시간도 없이 남들 놀 때 끝내야 하는 과제가 있기에 모두 긴장하며 집중한다.

아이들은 저마다의 색이 있고 그 색들은 서로 조화를 이룰 때만 서로에게 빛이 된다. 융화되지 못하면 그야말로 똥색이 된다. 우리 아이들은 원에 오는 시간이 일정하지 않다. 물론 시간대를 정하긴 하지만 학년이 섞여 있고 수준별로 진도별로 다양하다. 그렇기에 서로에게 모르는 부분을 도움 주고 또 설명하면서 자기 학습으로 만든다. 특히 고학년 친구들에게 많이 적용한다. 한 학년 아래 친구들이 푸는 문제더라도 잊었을 수도 있고, 다시 되짚어 생각할 기회를 주니 동생을 가르치면서 자신도 뿌듯해한다.

아이들의 인성은 부모의 가르침과 반복되는 훈련을 통해 길러진다. 작게는 인사하는 것부터 불필요한 마찰을 빚었을 때는 서로 배려하고 이해하려 애써보고 먼저 사과해 보는 작은 기회들로 더욱 단단한 사회정서를 가지게 될 것이다. 부모가 선생님을 존중해 주고 높여줄 때, 아이는 선생님을 바라보는 눈빛에서 존경이 생기고 선생님 말씀에 더 집중하게 만든다. 선생님과 부모가 합심하여 바른 인성교육으로 아이를 함께 키워나갈 때 비로소 진정한 인간이 되지 않을까?

내 아이도 영재일 거라는 믿음

엄마는 나에게 늘 "채윤아, 너는 뭐든지 잘할 수 있는 능력이 있어!"라고 끊임없이 말씀하신다. 어떤 이들에게는 이런 말이 긍정적인 메시지로 참 힘이 될 거라 말하겠지만, 나에게는 이보다 가시 같고 힘든 짐일 수가 없었다. 나는 메타인지가 잘 되어있는 사람이었다. 다른 사람들은 나에 대해 그렇게 생각하지 않을 텐데, 내 모습이, 내 성적이 그렇게 말하고 있는데, 나는 재능이 없어 보이는데 왜 굳이, 어째서 이런 얘길 하는 건지 이해할 수 없었다. 어디서나 남들에게 내 칭찬을 하시는 게 그렇게 부끄러울 수가 없었다.

"우리 채윤이는 이것도 잘하고 저것도 잘하고, 내가 시키지도 않았는데 알아서 찾아 하고 있다니까!"

모든 것이 가식적이고 허풍처럼 느껴졌다. 물론 할 줄 아는 것은 맞는 말이다. 그렇지만 잘하는 것과 할 줄 아는 것은 의미가 아주 다르니까.

그런데 희한하게도 내가 진짜 그렇게 하고 있더라. 엄마 말대로 무언가 어떻게 하는지 찾아야 했고, 엄마의 말이 거짓이 되지 않게 잘하려고 노력하고 있었다. 어떻게든 내 것으로 만들려고 무던히 애를 썼던 것 같다. 그림이나 피아노에 재능이 없던 내가 여러 대회에 나가 수상을 한 것도, 영어에 흥미 없던 내가 늘 좋은 성적을 가졌던 것도, 엄마가 날 끝까지 몰아쳤던 것으로 완성된 나였다.

엄마는 내가 어릴 적에도 몬테소리며 프뢰벨 은물 방문 수업 등 요즘 엄마들도 선호하는 유아들을 위한 조기교육에도 앞장서 셨다. 몬테소리 유치원을 다니며 생활했던 기억들은 지금도 그 모습이 생생할 정도로 눈에 그려진다. 지금은 당연한 교육일지 모르지만, 그 당시는 굉장히 획기적인 것들이 많았다.

너무 어릴 적이라 많은 것을 기억할 수는 없지만 특별히 무슨 왕실 학교처럼 꾸며진 환경에 개인 테이블보를 가지고 다녔다. 수업으로는 기본적으로 몬테소리 교구를 활용했고, 훌라후프, 곤봉, 리본을 활용한 리듬체조와 베이킹 수업이 정말 많이 기억난다. 생각해보니 유치원에 대형 오븐도 있었다. 그 오븐에 과자를 직접 굽기도 했고, 도넛을 반죽하여 기름이 가득한 큰 솥에 조심히 넣어 튀기는 과정까지 생생하게 기억이 난다. 혹여나 기름이 튈까 옆에 계시던 선생님께서 조심조심 주의를 주셨던 말투까지 꿈에서도 가끔 나올 정도로 좋은 기억으로 남아있다. 그 밖에 1인 1악기 수업과 영어 노래 수업, 서예 수업도 있었다.

어느 날 학교에서 단체로 아이큐 검사를 했었다. 그리고 학교에 엄마가 불려 왔다. 지금 아이를 어떻게 교육하고 있는지, 앞으로 학교에서는 어떤 도움을 줄 수 있을지 논의했다. 그날 엄마의 모습은 선생님께 혼이 아주 많이 나신 모양으로 집에 돌아오셨고, 나에게 은근히 화가 나 계셨다. IQ148이라고 믿을 수 없을 만큼 평범하고 조용히 지내는 나를 학교에서는 이렇게 있을 게 아니라 재능을 찾아 키워줘야 한다고 부추겼다.

그러니 엄마의 치맛바람은 어찌 보면 당연한 모습일지도 모른다. 그 옛날 지방에 살 때부터 남다른 교육을 해오셨지만, 육아휴직을 마치고 회사생활을 하느라 책 읽기 외에는 잠시 덮어뒀던 교육열에 다시 불을 지피게 된 거다. 엄마는 학부모 위원회 활동을 자처했다. 그리고 나는 무조건 잘하는 '영재'라는 프레임이 씌어졌고 학교 선생님들과 가깝게 지내게 되었다.

사실 나는 공부에 흥미도 없었고 그저 "노는 게 제일 좋아!"하는 그냥 어리고 평범한 말괄량이 소녀였다. 온 동네를 누비며 바람을 가르고 자전거 타는 것이 제일 행복했고 친구 집에 놀러 가면 엄마 걱정하실 생각도 못 하고 저녁밥까지 얻어먹고서야 집에 오는 천방지축이었다. 그때 엄마는 어땠을까? 내가 엄마였다면 참 맘에 안 들어서 '공부해라' 잔소리했을 듯한데, 엄마는 공부에 관한 잔소리는 하신 적이 없다.

고등학교 교문 앞에는 거의 모든 달마다 내 이름이 적힌 현수막이 걸려있었다. 믿어주고 기다려준 엄마에 대한 보답이었을까? 철이 들었던 것이었을까? 이때부터는 열심히 지냈던 것 같다. 나는 나를 가장 잘 알기에 내가 못 하는 것들을 바로 인지했고, 그동안 공부하지 않아 몰랐던 것에 대해 부끄러워하거나 자존심 세우지 않았다.

도움을 요청하려고 공부 잘하는 친구나 선생님들에게 늘 붙어지냈다. 그렇게 적극적인 모습을 비추니 학교에서는 학급 임원, 전교 임원도 했고 과목별 선생님마다 각종 대회에서 수상할 수 있도록 도와주고 지원을 아끼지 않았다.

아이의 IQ가 높다는 것은 별로 중요한 게 아니다. 그것은 단지 숫자에 불과했다. 나는 매번 실패하고 어렵고 스스로 낙오자 같아서 너무 아프고 힘든 일상이었다. 중요한 것은 그때마다 아이를 지지해주고 보이지 않는 끈으로 이끌어주는 부모와 선생님의 역할에 따라 아이가 성장할 수 있다고 강조하고 싶다. 나의 엄마는 나의 실패를 적극적으로 응원해주고 끝까지 믿어주셨던 것, 이것이 다 밑거름이 되어 다시 나를 도전하게 하고 해낼 수 있다는 자신감을 느끼게 했다.

아이마다 다 다를 수는 있겠지만, 나는 이 '말의 힘'이라는 게 무섭다. 그래서 긍정적이고 좋은 말만 해야 한다. 모든 것들이 말하는 대로 이루어질 수는 없겠지만, 말을 했으니까, 이미 시작되어 버린 일이니까, 내 아이가 영재라고 진심으로 믿어준다면 어떻게든 만들어내려고 노력이라도 하지 않을까? 하다 보면 그 근처라도 간다.

누군가 그러더라. 모든 아이는 다 영재로 태어난다고…. 그렇다면 정상까지는 아니더라도, 시도는 했으니 그것만으로도 훌륭하다. 아니면 정말 운이 좋거나 불현듯 나타난 재능이 빛을 발해서 중간 이상의 성과로 이어질지 아무도 알 수 없는 것이다.

그래서 나는 교육자의 입장으로 나의 제자들에게 이 말의 힘을 빌리고 싶다.

"너는 뭐든지 다 잘할 수 있고, 잘 해낼 거야. 왜냐하면, 지금 충분히 잘하고 있거든."

"얼마든지 실패해도 괜찮아, 도전하는 네가 아름다운 거야."

"늘 하던 대로, 지금처럼만 한다면 너는 이미, 멋진 사람인 거야."

이래 봬도 원장님인걸

앞서 나는 방랑 병이 있다고 했다. 그런데 지금은 아니다. 잘생긴 우리 남편은 결혼 첫 번째 조건으로 '앞으로 여행은 절대 혼자 떠나지 않을 것'을 약속하라고 했다. 미국에서 아이를 가지게 되었지만, 첫 출산의 공포는 미국 시민권을 포기하게끔 했다. 나는 친정엄마가 있는 한국으로 너무 귀국하고 싶었다. 남편은 한국에 오는 것을 몹시 망설였다. 본인이 잘 아는 홈그라운드에서 아내와 아이를 책임지고 싶었으나 한국은 너무 낯설고 두려운 곳이 아니었을까.

남편은 어릴 때부터 미국에서 자란 캐나다 교포다. 한국에 와서 남편은 복잡하고 어지러운 도시를 너무나 힘들어했다. 어찌저찌 시작한 제주도 라이프는 그나마 시애틀과 비슷한 점이 많아서 잘 적응한 것 같다. 바닷가가 가깝고 바람 불고 부슬비가 오는 날이 많다가도 해가 쨍 한 날이면 뽀송하기도 하고 숲이 가까이 있는 것도…. 남편이 취직하고 아이가 태어나고 '이제 우리 좀 쨍해지나?' 싶은 찰나. 둘째가 생겼다. 또 아들이란다. 하하. 이듬해 또 셋째가 생겼다.

아. 하나님은 감당하지 못할 시련을 주시지 않는다던데, 아무리 내가 아이를 좋아한다지만 내 그릇을 너무 과대평가하신 게 아닌가. 남들은 하나 갖는 것도 힘들다 들었는데, 어렵게 생긴다는 아이를 나는 너무도 자연스럽게 연년년생, 3년 동안 나는 줄곧 임산부였다. 그것도 아들만!

첫째가 걸음마도 떼기 전에 둘째가 태어났다. 모든 뼈마디가 붓고 욱신거렸으며 몸이 천근만근 회복되지 않아서 남편은 회사 퇴근 동시에 집으로 육아 출근을 하느라 참 많이 고생했다. 한국에서 직장생활이 처음이라 익숙하지 않았고, 일단 한국 생활 자체에 예민해 있었다. 둘째는, 아직 걷지 못하는 첫째 아이를 아기띠로 계속 안아주다 보니 배가 너무 눌려서였을까? 아래로 너무 빨리 내려와서 7달 만에 1.8kg 미숙아로 태어났다.

너무 일찍 태어나 여기저기 잘 아프고 병원 신세를 참 많이 져야 했다. 남편도 일을 빼고 자주 병간호를 했지만, 매번 그렇게 할 수도 없고 나는 첫째 아이를 돌보느라 손이 부족해서 친정엄마까지 불러와야 했다. 그리고 내 부은 몸이 좀 빠질 즈음, 셋째 아이가 찾아왔다. 남편은 겁부터 먹었다. 지금도 힘든데 앞으로 거쳐야 할 산이 대체 얼마나 더 있나 싶고 참 암담했다.

반면 나는 아이를 또 가진 게 한편으로는 어이없지만 즐거웠다.

사실 결혼 전 남편과 자녀계획을 하면서 아들 둘 딸 둘 낳자고 우스갯소리를 한 적이 있어서 내심 딸을 기대하고 있었다. 그리고 몸이 서서히 회복되고 나니 둘을 키우는데 셋은 못 키울까 자신만만했다.

과연 셋째라고 쉬웠을까. 물론 둘을 먼저 키워봤으니 이제 초보는 아니라 해도 언제나 손이 모자라고 아이들 소리에 정신 줄 잡고 있는 게 용하다 할 정도였다. 그나마 내 성격이 좀 느긋하고 스트레스를 잘 안 받는 편이라 아이들이 하는 것에는 대부분 오케이 해주고 아이들 편에서 받아주려고 많이 노력했다. 아니 어쩌면 내가 아이들과 노는 것을 더 즐겼는지도 모른다.

아이가 끄적끄적 그림을 그리고 있으면 어느샌가 물감을 가져와 화장실에 바닥이며 벽면이며 온통 물감으로 도배하기도 하고, 아이랑 밀가루 반죽 놀이, 쌀알 고르기, 종이 찢고 붙이기 등등 온갖 것을 놀이로 만들어버렸다. 아이들은 절대 좁은 집에서만 놀진 않았다. 둘은 쌍둥이 유모차에 태우고 하나는 아기 띠를 해서 매일 동네 한 바퀴를 산책 다니고 놀이터에서 뛰놀다 보니 출산 전 80kg까지 부었던 나의 살은 덤으로 빠졌다.

셋째까지 어린이집에 보내게 될 즈음 남편에게 일하고 싶다고, 일이 너무 하고 싶다고 했다. 말도 안 통하는 아이 셋과 지내다 보니 사람 같은 대화를 하고 싶었고, 현실 감각이 너무 떨어져서 마치 나만 세상에 홀로 동떨어진 느낌이 싫어서 어디론가 홀연히 사라지고 싶었지만, 또 남편과 약속해 놓은 게 있으니 그것도 못 하겠고…. 그래서 이때 현실 도피용으로 집에서 육아하면서 슬금슬금 실습도 나가고 보육교사 자격증과 심리상담사 자격증도 땄다.

남편은 나의 자아실현을 응원해 줬다. 돈 몇 푼 벌어오는 게 중요한 것이 아니고 내가 즐거워하고 에너지를 얻고 온다고 생각하며 적극적으로 밀어주었다. 초등학교에 방과 후 교사로 출근하고 여러 선생님을 만나 요즘 교육트랜드를 조금씩 읽어 나갔다. 몸이 좀 힘들어도 꾸역꾸역 출근하며 좋은 기운을 받고 퇴근하면 그 기분 이어서 아이들과 더 신나게 놀아 줄 수 있었다.

그리고 이듬해에 어린이집 방문 교사로 일하게 되었다. 재밌는 교구들을 만들어가며 율동을 익히고 수업에 필요한 구연동화를 입에 배도록 연습한 다음, 여러 어린이집으로 출발. 준비된 모든 것을 한 타임에 다 쏟아부으면 아이들은 정신없이 영어에 쏙쏙 빠져들게 하는 노부영 수업이었다. 아이들만큼 나도 신나고 너무 재미있었다.

일이 재밌으니 힘든 줄 모르고 거의 매일 같이 동서남북을 행진하며 한라산을 가로질러 운전했다. 처음에는 나 홀로 드라이브하듯 가벼운 마음으로 다녔고 제주에서 서귀포까지 늘 푸른 자연을 보고 다니는 것만으로도 기분이 상쾌했다.

어느 겨울날, 제주에 말도 못 하게 눈이 많이 내렸다. 한 번도 이런 눈을 접할 길 없던 제주에는 제설작업이 생소했고 장비나 재료들도 부족했다. 빙판길 운전에 혹여 사고라도 날까 봐 덜덜 떨며 출근하는 나를 아는 남편은 일찌감치 회사 조퇴를 신청하고 차에 태워 수업에 데려다주었다.

남편은 언제 나를 성장하게 하고 나의 꿈을 지지하고 그 끝에 무엇이 있는지 내가 확인해 보길 바란다. 그 겨울 그렇게 힘들었던 운전 길에 기사를 자처하며 동행해 준 나의 남편에게 나는 배짱좋게 아주 큰 부탁을 했다. 방 빼라고! 이제 출근 안 하고 집에서 애들 가르쳐야겠다고.

진짜 멋진 남편이다. 흔쾌히 서재를 비워주고 같이 전단지 돌려주고 현수막 걸어주고, 프린터기와 커피머신이 필요할 것 같다며 고가 제품도 먼저 구매해주고 더 도울 것이 없는지 계속 고민해주었다. 그렇게 나는 너무도 쉽게 원장이 되었다. 그리고 이렇게 될 줄 알았다면 좀 더 일찍 할 걸 후회하기도 했다.

아이들도 참 애썼다. 한글 깨치기를 하는 나이들이 되어서 엄마랑 같이 공부하고 학교에 갈 준비를 챙겨줬어야 했는데…. 내게 배우러 온 친구들이 집에 오면 함께 공부하면서 엄마가 다른 친구들만 칭찬하는 것을 보고 매번 속상해했다. 나도 그때는 왜 우리 아이를 칭찬해 주는 게 다른 친구들한테 그렇게 민망하고 죄스러웠는지 모르겠다. 다른 아이들 앞에서는 엄마라고 부르지도 못하고 "선생님, 선생님."이라 부르며 다들 집에 갈 때까지 장난감도 못 만지고 떠들지도 못하고 먹고 싶은 간식도 못 먹었다.

확실히 집과 구분이 지어지지 않아서 가족 모두에게 고생이 아닐 수 없다. 점차 학생 수가 많아지니 작은 방에서 거실까지 확장했고, 가끔 궁금함을 이기지 못해 우리 아이들 침실을 슬쩍 엿보는 학생들도 있었다. 가족의 사생활이 점점 사라지게 되었고 걸려있는 가족사진도 모습을 감추게 되었다.

그런데도 엄마가 선생님이어서 좋다고 말해주고 엄마가 채점하거나 공부할 때 옆에서 공부하며 나를 자랑스러워하는 나의 아들들에게 참 미안하고 고맙다. 나는 참 복도 많은 사람이다. 사랑하는 가족들의 희생과 지지 덕분에 나는 선생님, 그리고 원장이라는 타이틀을 갖게 되었다. 몇 해 전부터는 대학원 박사과정으로 사회복지학과 평생교육도 공부하고 있고, 몇몇 대학에 강의도 나간다. 이 바쁜 스케줄을 모두 할 수 있게 해준 우리 가족에게 정말 감사하다.

그렇게 잘 지내는가 싶었는데 어느 날 갑자기 "엄마, 이제 엄마도 출근했으면 좋겠어요. 이거 그만두면 안 돼요?" 하는 게 아닌가. 안 그래도 이제 사춘기가 접어들 때가 되어 자기 공간에 관한 이야기는 계속하고 있었다. 그래도 이렇게 직접적으로 얘기할 줄이야! 올 것이 오고야 말았다. 어떻게 해야 하나 몇 날 며칠 머리를 이리저리 많이도 굴렸다.

처음부터 나는 우리 아이들과 많은 시간을 함께 하고자 9 to 6 직업은 애초에 생각지도 않았을뿐더러 이제는 강사로 나간다 해도 학원에서 반기는 나이가 훌쩍 넘어버렸는데, 어디 가서 굽이라도 따야 하나? 그렇다고 모아둔 돈도 없는데 막상 집을 벗어나 사업체를 차린다는 게 쉽게 용기가 나질 않았다.

'하나의 문이 닫히면 다른 문이 열린다.'
- 영국 태생의 미국 과학자 '알렉산더 그레이엄 벨' 명언

개인적으로 아주 좋아하는 문구 중 하나이다. 누구에게나 시련은 있을 것이고 그 시련에 어떻게 극복하느냐에 따라 성공과 실패가 되는 것 같다. 나는 물러나고 싶지 않았다. 대출을 받아서라도 내 것을 차리겠다고 마음먹었다. 이제는 집에서 벗어나 학원으로 움직일 때가 된 듯하다. 가정과 직장을 분리하고 아이들에게도 사적인 공간을 선물하고 싶다. 아직 많이 서툴고 떨리고 여전히 잘할 수 있을까 걱정도 되지만, 이제껏 받은 응원만큼 더 열심히 뛰어야겠다.

그렇게 다짐하고 나니 어디선가 좋은 기운이 또 오더라. 평소에는 남의 블로그 잘 안 보는데 신기하게 '비행하던 영어 강사 지니쌤' 블로그에 빠져서 이것저것 읽고 있었다. 한때 나도 외항사를 준비했던 사람이라 더 끌리고 현재 영어를 가르치고 있다는 공통점이 글을 읽게 했다.

한참을 재밌게 탐색하며 읽다가 만난 영어 컨텐츠 [1Hour]는 나에게 또 다른 문을 열어주었다. [1Hour] 컨텐츠 내용 자체도 다룰 수 있는 흥미로운 점이 많았지만, 무엇보다 좋은 점은 여러 원장님과 실시간으로 자유롭게 소통할 수 있는 공간이 있었다. 아주 흥미로웠다. 마치 최고의 쉐프 음식만 모아둔 뷔페 같았다.

대단한 원장님들이 하시는 한마디 한마디가 나를 굉장히 자극했다. 컨텐츠 안에서도 어떤 내용을 다루는지, 어떻게 사용하는지 일부러 세미나도 열어주고 그것도 모자라 1:1로 상세히 설명해주시고 좋은 교육 정보들을 나눠주시고 가지고 있는 값진 자료들도

대가 없이 무료로 공유해주시기도 했다. 그리고 여러 경험담, 실패담 등 사적인 이야기도 많이 나눠주셨다.

우리는 교육자로서 같이 성장하고 모두 함께 성공하자고 했다. 이런 마인드를 가지고 있는 원장님들을 만났으니 본받아서 더 멋진 원장이 되어야겠다. 나는 마치 천군만마를 얻은 것처럼 더 자신감 좀 느끼어도 되겠다고 생각했다. 그래, 한 살이라도 젊을 때 더 큰 발돋움을 해보자!

'괜찮아 실수해도 돼. 어릴 땐 누구나 그렇게 틀리면서 배우는 거야. 좋아! 어깨 펴고 고개 들고 크게 한번 웃고서 다시 한번 해보는 거야!'
　- 슈뻘맨, <괜찮다고 말해주기>

그대 내게 행복을 주는 사람

'그대 내게 행복을 주는 사람, 내가 가는 길이 험하고 멀지라도 그대 내게 행복을 주는 사람.'

홀로 여행하면서 나도 모르게 언제 들었는지 생각지도 않은 멜로디와 가사가 튀어나올 때가 종종 있었다. 그중 한 소절이 바로 이것이었다. 어릴 적 아빠의 포니 자동차 안에서 많이 들었던 해바라기 아저씨들의 목소리. 왜 이 노래가 그리도 자주 생각이 났을까.

안나푸르나 ABC 베이스캠프를 눈앞에 두고 고산증 때문에 힘들어했을 때, 나 때문에 하루를 더 머물며 생각보다 조금 일찍 숙소를 잡고, 다음날 산을 오르며 조금만 더 가면 정상이라고 함께 기다려주고 이끌어준 사람들.

사람, 그것은 나에게 너무나 큰 의미이다. 물론 누구나 그렇게 생각하겠지만 사람이 세상에서 가장 무서운 존재라는 것을 알고 난 후에는 사람을 대하기가 좀 어려워진 시기가 있었다. 상처받고 힘들어했던 순간, 그때 나를 다시 일으켜주고 회복시켜준 것도 사람이었다. 위로해주고 기도해주고 보듬어준 사람들…. 힘들 때 곁에 남는 사람이 죽을 때까지 같이 간다고 하는 말을 이때 경험한 것 같다.

생각해보면 나는 정말 인복(人福) 많은 사람이다. 결혼 전에도 그랬지만 여전히 며느리에게 아들보다 더 귀하다고 여겨주시고, "참 곱다.", "어쩜 이리도 사랑스럽니." 입이 닳도록 칭찬만 하시는 우리 시어머니와 시아버지. 나는 한 번도 이렇게 부른 적이 없다. 항상 "엄마", "아빠" 했다. 지금 캐나다에 계시면서 늘 우리를 위해 기도해 주시고 부족한 것은 없는지 챙겨주시려 애쓰신다.

우리 결혼식 때 하도 펑펑 울어서 하객들이 남편 전 여친 아니냐고 수군거리게 했던 시누이, 미국에 같이 살면서 언니, 언니 하며 진심으로 가족으로 대해주고 비밀 얘기도 털어놓고 미국 생활이 편하도록 도와주던 나와 띠동갑 Esther. 이제는 베트남계 Kevin과 결혼해서 한 가정을 꾸렸지만, 아직도 내겐 물가에 내놓은 아기 같은데 이제는 아이를 가진 엄마가 되었다니 너무 축하해. 정말 아이가 아이를 가졌네.

어릴 적에 성격 참 이기적이었던 나하고 무지하게 싸우고 일방적으로 많이 맞고 자란 사랑하는 내 여동생 채희, 대학 때 일본으로 홀로 건너가 일찍이 자리 잡으려고 고군분투하면서 씩씩하게 지낸 대단한 아이. 지금은 일본인 남편과 잘살고 있지만 언니로서 챙겨주지 못해 항상 미안하고, 조카들에게 늘 마음 써줘서 고마움 투성인데 자주 못 봐서 아쉽기만 하다.

멀리 떨어져 살면서 자주 만나지도 못하지만 오랜만에 연락해도

전혀 어색하지 않고, 이러저러한 어려움을 겪었을 때 항상 진심으로 내 걱정 해주고 고민하며 자기 일처럼 함께 눈물 흘려주고 기도해주던 든든한 친구 근혜, 언제나 기발한 아이디어가 샘솟아 나에게 좋은 방향을 제시해주고 정보력, 추진력은 둘째가라면 서운한 현주, 그리고 항상 웃음으로 주위 사람을 행복하게 만드는 에너자이저 안나까지. 아 너희는 정말 이름만 떠올려도 기분이 좋아진다.

육지 것, 육지 것이라며 육지 사람을 부르는 괸 당 문화 가득한 곳, 제주에서 은근히 아니고 대놓고 텃세 부리는 제주 사람들 사이에서 동병상련하며 함께 육아하며 주말마다 여기저기 놀러 다니고 귤이며 이것저것 나눠주고 음식도 해주고 제주 정착하는 데 큰 힘이 되어주던 진서, 소진, 민정이. 그리고 원장 교육 이수부터 같이 하게 되면서 으쌰으쌰한 은선 언니까지.

이렇게 주변에 좋은 사람들이 많다는 것 또한 능력이다. 흔히들 '네 주변의 사람들이 너를 만든다.'라고 하지 않나. 좋은 사람들 곁에 있으면 힘이 나고 또 열심히 살게 한다. 그들 자체가 동기부여가 되고 멘탈 관리에도 도움이 된다.

나 혼자 많은 친구를 가르치며 다들 어떻게 수업하고 있는지, 내가 과연 잘 가르치고 있는 건지, 부족한 점이 있다면 어떻게 채워야 하는지 도무지 알 수 없어 막막하고 힘들었던 순간에 다가와 준 [Plan Bee - 디즈니 영어 뮤지컬]을 함께 시작하며 정말 많은 행복을 느끼게 되었다.

플랜비는 20년 경력과 탁월한 실력을 갖춘 원장님들이 이끌고 있다. 원데이 클래스, PBL 수업을 전문적으로 하시는 '상상팩토리' 장희정 원장님과 메타인지 기반의 자기조절 학습코칭 전문가이자 「이 책 없이 영어 하지 마라」의 공동 저자 '빛나는 영어' 이태연 원장님을 만나게 되었고 덕분에 작년 겨울을 아주 뜻깊게 보냈다.

디즈니 뮤지컬 1기 모집이 시작되었을 때 장희정 원장님은 "이런 걸 먼저 알아보고 선택하신 원장님들의 안목이 대단한 거예요!"라고 추켜세워 주셨다. 디즈니는 정말 꿈과 환상에 나라로 우리를 이끌었다. 광고하자마자 문의가 많이 밀려왔다. 솔직히 회원 모집이 될까에 대해 의심했지만, 순식간에 스무 명이 모아졌고 일이 커지자 나는 판을 키웠다. 연말에 공연장을 빌려 제대로 놀아보자고 생각했다.

10월부터 시작한 작품은 회가 거듭할수록 재미있었다. 자기소개조차 쭈뼛쭈뼛, 수줍음에 어찌할 바를 모르던 아이들은 두 번째 모임, 세 번째 모임부터는 본색을 드러냈다. 아이들도 처음, 나도 처음이라 서툴렀지만 춤과 노래가 있어 즐겁고 반복되는 role-playing으로 점점 인물의 구체화를 하게 되었다. 믿기 쉽지 않겠지만 참여했던 학생 중에는 파닉스도 잘 모르고 시작했고 그저 디즈니 책이 예뻐서, 공주 연기하는 게 재미있을 것 같아서 알파벳도 모르고 시작한 친구들도 많았다.

초등고학년 친구들은 어린 친구들을 도와가며 모두 함께 어우러져서 하나의 작품을 만들어 나갔다. 아이들은 제각각 가진 달란트가 있다. 목소리가 크고 발성 좋은 아이들이 있는가 하면 감정 몰입을 잘하는 아이들이 있고 율동을 잘 이끌어주는 친구, 의상 준비를 신경 써주는 친구도 있었다.

공연장도 빌렸겠다, 의상도 멋진 옷을 직구 해놓고, 소품도 만들고 나름대로 열심히 준비했다. 아이들도 나의 열정을 알아본 것인지 나날이 완벽해지고 있었다. 스텐바이 하는 순간! 장난치던 아이들도 어느새 진지한 태도로 바뀌어 연기하고 있었다. 낯을 가리느라 소리 못 냈던 친구들도 이제는 우렁찬 발성으로 대사를 받아쳤다.

그날 우리의 뮤지컬은 우리 원의 이름처럼, 작품[Finding Nemo]에 나오는 노랫말처럼 "You and I, We are all together, We can live in harmony"였다. 각기 각색의 개성을 가진 아이들,

성격도 다르고 모습도 다른 우리였지만, 하나의 작품 안에서 무대를 아름답게 장식하려는 하나의 목표를 가지고 하나가 되었다.

솔직히 무대를 마치고 난 지금은 후련함과 아쉬움이 공존한다. 1인 선생님이라 아이들의 작은 움직임과 동선 하나하나 신경을 써주기가 쉽지 않았다. 공연 전에 처음 가서 예행연습을 하려니 들뜬 마음을 가라앉히지 못하고 집중을 잃었던 아이들을 다루는 것도 여간 힘든 게 아니었다.

원에서 연습할 때는 완벽히 익히고 갔지만, 막상 무대에 서니 새까맣게 잊어버려 대사 한마디 못 한 친구들도 있었고, 긴장한 탓에 너무 빨리 말하고 내려오느라 다음 노래에 박자를 못 맞추는 것은 다반사였고, 머뭇머뭇하다가 늘어지는 친구도 있었다. 그다음 씬을 준비하는 친구는 템포를 잊어 의상을 허겁지겁 입어서 잘 갖추지 못하고 무대에 오르기도 하고 아주 가관이었다.

그래도 정말 다들 너무너무 고생했고, 대견스러웠다. 대단한 우리 친구들이었다. 또한 학부모님들도 우리 아이들의 공연에 무척이나 만족해하셨고, 아이들이 영어를 즐겁게 접할 기회를 만들었다는 점에서 큰 박수를 받았다.

앞으로 또 다른 뮤지컬 무대를 만든다면 지금 했던 실수를 보완하고 부족했던 점들을 채워서 더 멋진 무대를 만들 수 있다는 자신감도 함께 얻었다. 제일 중요한 것은 나만큼이나 아이들 또한 다음 작품을 고대하고 있다는 사실이다!

돌이켜보면 이 모든 것들은 나 혼자 이뤄낸 것이 하나도 없었다. 그저 운이 좋아서도 아니다. 사람과 사람들이 모여 하나의 큰 꿈을 가졌고, 그에 걸맞게 나의 역할을 분명하게 찾았고 나도 주는 사람으로서 Flowing 한 것이었다.

흔히들 중요한 건 속도가 아니라 방향이라 말한다. 하지만 그것을 깨닫기란 쉬운 게 아니다. 당장 눈앞에 벌려진 일들을 생각하면 중심 잡기가 쉽지 않았다. 남들은 빨리 자리 잡고 성공하고 있는데 나만 아직 멀었다는 조급함 때문에 '이 정도에서 모든 걸 멈추면 어떨까?' 생각한 적도 많았고, 머리가 하얘졌을 땐 '내가 과연 무엇을 향해 나아가고 있나?' 하며 초심도 잃었던 때가 있었다.

여전히 나는 아주 부족하고 가진 것도 없지만 나는 나 자신을 시험해 보고 싶다. 우리 아이들이 매일 조금씩 크는 것처럼 천천히 속도를 낮추어 기다려주고, 한 친구 한 친구들을 만나면서 매 순간 정서적으로 보듬어주고 학습에 스트레스받지 않고 '할 수 있다'라는 자신감과 학습 동기를 부여하고 그것으로 이뤄낸 성취감을 주는 교사로 남고 싶다.

앞으로 나의 꿈은 제주에서 가장 멋진 학원을 만드는 것이다. 프로젝트 수업도 맘껏 하고, 영어 뮤지컬 수업도 하고, 영어 논술과 스피치를 하면서 자기 표현하는 법을 배우게 할 것이다. 또한 최근에 알게 된 온라인 교육 O2O(Online to Offline)를 통해 많은 콘텐츠를 활용하여 세계로 뻗어나가는 아이들을 길러내는 것이 목표이다.

이렇게 배짱 있게 말하는 이유가 따로 있다. 현재 캐나다 교육기관 인증협회인 토론토 카톨릭 공립교육청(MSA-CESS·Middle States Association of Colleges and Schools)으로부터 국제학교 정식 인가를 받았다. 이 말은 국제학교 프로그램을 통해 모든 학습을 마치고 나면 캐나다 정식 졸업장을 준다는 것이다. 찾아보면 국제학교라 이름만 걸어놓은 아카데미가 전국에 수두룩하다. 그러나 자세히 살펴보면 이 '정식 인허가'라는 퍼밋을 받는다는 게 엄청 대단한 것이다. 만일 캐나다로 유학을 가고 싶다면 일정 기간이 지나 소정의 테스트를 거쳐 현지에서 직접 수업을 연계해 들을 수 있고 고등학교와 대학교 과정도 있다.

내가 사는 이곳, 제주에는 곧 들어설 국제학교를 포함해 BHA(브랜섬홀 아시아), SJA(세인트존스베리 아카데미), KIS(한국국제학교), NLCS(노스런던컬리지에잇스쿨)까지 5곳이나 있다. 이곳에 입학하는 문도 좁지만, 입학 테스트에 통과한다 해도 매번 들어가는 학비가 어마어마하다. 마음 같아서야 사랑하는 나의 아들 삼 형제 모두 입학시키고 싶지 않겠는가. 학교 대지도 크고 그 넓이만큼이나 질 높은 다양한 수업이 제공되고 있다. 어느 부모가 내 아이를 특별한 학교에 보내고 싶어 하지 않아 할까.

그래서 차선책으로 단기 어학연수를 보내기도 하고 학비가 저렴한 필리핀, 싱가폴 등 동남아 어느 나라에 있는 국제학교에 유학을 보내는 학부모들도 많이 보았다. 앞으로는 국제학교를 대신하는 학원, 바로 우리 학원으로 유학하러 오길 바란다. 제주도의 특색을 살려서 여러 자연 친화적인 프로그램도 함께할 것이다. 그래서 우리 친구들이 더욱더 큰 꿈을 꿀 수 있도록 아낌없이 지원할 것이다. 이제 시작이다.

"힘내! 우린 뭐든지 할 수 있으니까."

memories

Chapter 6

장희정 원장 시점

나를 찾아 떠나는 영어교육 여행, PROJECT 365

전지적 영어원장 시점

오즈에 오신 것을 환영합니다

여기는 오즈의 마법사가 사는 에메랄드 시티입니다. 저는 오즈에서 상상팩토리 어학원을 운영하는 장희정 원장입니다. 오즈에 온 아이들에게 영어와 인생을 가르치고 있습니다.

"당신은 어떤 바람에 휩쓸려 여기까지 온 걸까요?"

토네이도에 휩쓸려 온 도로시와 저는 오즈에 도착해서 모험을 시작했어요. 도로시는 집으로 돌아가기 위한 모험에서 생각할 수 있는 뇌를 갖고 싶은 허수아비, 심장을 갖고 싶은 양철 나무꾼, 용기를 얻고 싶은 겁쟁이 사자와 만나 서쪽 마녀를 쓰러뜨리러 가고 있었죠. 저는 무지개를 넘어 도착한 오즈에서 길을 잃은 아이들이 서로 소통하며 집을 찾아갈 수 있도록 영어를 가르치기 시작했어요. 오즈에는 몹쓸 바람에 휩쓸려 여러 나라의 아이들이 길을 헤매고 있어서 우리는 언어를 통일해야 했어요. 그래서 오즈에서 유일한 영어학원, 상상팩토리 어학원을 열게 되었답니다.

"Follow Yellow Brick Road"

저와 함께 이 노란 벽돌 길을 따라가다 보면 여러분도 오즈의 마법사를 만나게 될 겁니다. 이루고 싶은 꿈이 있다면 저와 함께 바람이 가득한 이 세계에서 모험을 시작해 보세요.

라스베이거스를 떠나며, 올인 했습니다

가도 가도 끝이 없는 사막, 돌풍이 불고 있었다. 미국 서부를 가로질러 금광을 찾아가는 길에 강풍이 불어 커다란 트럭들이 도로에 쓰러져있었다. 거대한 모래바람이 멀리서 불어오고 있었다. 내가 타고 가던 버스가 전복될지도 모른다는 생각에 두려움을 느꼈지만, 버스 기사의 선택은 단호했다. 멈추지 않고 무풍지대로 달리는 것, 그것이 이 지역을 수도 없이 운행했던 경력을 가진 그의 선택이었다.

나는 대한민국에서 거센 바람이 부는 교육 현장 한복판에서 수많은 교육 로드맵을 연구하며 나만의 길을 찾는 학원장이다.

"만약에 나라면 이 기사님처럼 거센 돌풍을 뚫고 지나갈 수 있었을까?"

나는 내가 학생들과 학부모님들의 꿈을 싣고 우리의 미래를 향해 달리는 버스의 기사라는 사실을 깨닫게 되었다. 그들이 원하는 곳까지 안전하게 나의 버스로 여행을 계속하기 위해선 나만의 내비게이션과 결단이 필요했다. 나의 여행 가이드를 읽고 내 버스로 함께 교육 여행을 하는 사람들을 위해, 가장 아름다운 여행 루트를 생각하는 동안 버스는 거센 바람의 중심을 벗어났다.

마침내 사막의 끝에 신기루처럼 금광 마을이 나타났다. 서부 개척 시대 금광을 찾아 떠나던 사람들처럼 나는 골드러시의 시대로 향해가고 있었다. 과거 얼마나 많은 사람이 이곳에서 금을 찾아 꿈을 이루고자 했을까? 금광에 도착해서 사금 채취 체험을 하며 반짝이는 금을 찾기 위해 모래 알갱이를 걸러내기 시작했다. 모래와 흙이 물에 휩쓸려 걸러내 지고 빈 접시만 남아있었다. 물아래 수많은 모래 알갱이가 햇빛에 반짝이고 있었다. 나는 이 모래와 흙이 땅을 이루고 있다는 것을 알았다. 나의 학생들이 반짝이는 모래알처럼 각자의 자리에서 자신이 잘하는 일을 하며 반짝이길 바랐다.

골드러시, 금을 찾아 떠나지 않아도, 나는 내 땅에서 나의 금쪽이들과 금빛 찬란한 미래를 만들고 싶었다.

금을 찾느라 아이를 돌볼 시간을 뺏겨서 아이를 잃었던 광부가 슬프게 부른 노래가 우리가 아는 클레멘타인이다. Oh my darling, Clementine, 이 구슬픈 노래를 부르지 않도록 금보다 더 귀한 우리 아이들이 잘 자랄 수 있는 오아시스 같은 교육 공간이 필요했다. 이제 우리 아이들이 자랄 건강한 땅을 개척할 시간이었다.

모하비 사막을 가로질러 화려한 라스베이거스에 도착했을 때, 나는 마치 사막에서 오아시스를 만난 것처럼 신이 났다. 라스베이거스에서 내 인생의 첫 번째 도박이 시작되었다. 내 모든 것을 올인해서 아이들에게 꼭 필요한 교육을 할 수 있는 좋은 학원을 만들기로 결심했다. 그날 밤 라스베이거스 벨라지오 호텔의 분수 쇼가 나의 과감한 배팅을 응원해 주고 있었다.

이 거친 사막 한가운데 불쑥 나타났다가 순식간에 사라지는 신기루 같은 학원이 아니라 오아시스처럼 사라지지 않을, 진짜 즐거운 영어학원을 만드는 날을 꿈꾸며 라스베이거스를 떠났다. 척박한 땅에서 마르지 않을 오아시스를 찾아서.

작가가 되고 싶었지만, 영어학원 원장이 되었습니다

스물아홉, 나는 갑자기 영어학원 원장이 되었다. 내 오랜 꿈은 작가가 되는 것이었다. 대학에서 영문학을 전공하면서 낮에는 영어 강사 일을 하고 밤에는 꿈을 이루기 위해 시나리오를 쓰고 있었다. 곧 서른이 된다고 생각하니 하고 싶은 일과 해야 하는 일 사이의 존재하는 교차로에 멈춰선 느낌이었다. 꿈을 향해가는 길목에는 초록 신호등이 점멸하고 있었다. 스물아홉 교차로의 모든 신호등엔 마침내 빨간불이 켜졌다. 그리고 신호등이 고장 난 것처럼 초록 불은 들어오지 않았다. 한 번도 본 적 없는 이정표엔 길 없음, 추락 주의 경고문구가 적혀있는 것 같았다. 그때 지방에서 장사를 하시던 엄마가 올라오셔서 말씀하셨다.

"이제, 네가 우리 집 가장이야. 엄마 힘들어서 하던 가게 정리했어."

내가 가진 건 창작 능력과 영어 전공 졸업장 그리고 강사 경력뿐이었는데 우리 집을 책임지는 가장이 되라고 하셨다. 놀랍게도 그 한마디가, 나에게는 빛과 같았다. 내 인생의 고장 난 신호등에서 그린라이트가 켜지는 순간이었다. 이제 안전하게 길을 건널 수 있겠구나, 안도감을 느꼈다.

"넌 좋은 선생님이 될 거야, 학원을 열어보렴."

내 인생의 변화가 시작되는 시기였다. 나는 바로 상가를 알아보고 어느 순간 학원 도면을 그리고 있었다. 한 번도 생각해 본 적이 없는 학원장의 세계는 그렇게 갑자기 열렸다. 두렵지 않았다. 아주 오랫동안 미뤄뒀던 해야 할 일을 마침내 하기 시작한 것 같았다.

외할아버지가 동네의 빈 땅에 집을 짓던 것처럼 나는 빈 학원 상가의 시멘트 냄새를 맡으며 나만의 공간을 상상했다. 인테리어에 관심이 많았던 나는 50평 안에 로비와 교실을 배치하고 소방시설을 공부하며 좋은 디자이너를 만나 학원 공사를 시작했다.

그렇게 '달이 뜨는 언덕'이라는 이름을 가진 마을에서 프랜차이즈 영어학원을 개원했다.

학원 설립 기념일은 3월 1일, 삼일절이다. 나는 그날 나의 독립을 선언하며 나만의 교육 공간에서 아침에 일어나서부터 잘 때까지 영어 수업 연구를 시작했다.

모두 부모님 덕분이었다. 외동딸인 내가 스물아홉까지 밤낮이 바뀐 채 방에서 노트북으로 세상의 모든 이야기를 쓸 때도 기다려주셨고, 길을 잃고 숨이 턱 막히는 순간에도 스스로 마침표를 찍을 수 있게 또 다른 길을 제시하고 스스로 선택하도록 기다려 주셨다.

내 인생의 나침반은 엄마였다. 엄마는 동서남북이 모두 열려있으니 갈 길은 내가 정하도록 하셨다.

학원을 열고 7년이 지나자, 그 공간에 아이들이 가득했다. 나를 믿고 함께 공부하는 아이들에게 더 나은 교육 환경을 만들어주기 위해 확장 이전을 하기로 했다. 동네에서 가장 큰 건물을 찾아 나섰지만, 오래된 동네에는 원하는 만큼 큰 평수의 학원 건물이 없었다. 그러다가 중고 나라에서 지금의 학원을 발견했다. 부동산에도 나와 있지 않았던 건물이었다.

7년이나 이 지역에서 학원을 했지만, 한 번도 가본 적이 없는 가까운 곳에 200평의 빈 건물 나와 있었다. 중고 나라에서 이렇게 멋진 장소를 찾다니, 이상한 일이었다. 해리포터의 호그와트에 가기 위해 찾아야 하는 비밀 기차역 입구를 찾은 기분이었다. 그리고 그 공간을 좋은 마음으로 내어주신 조 원장님을 만난 것은 학원 인생에서 다시 없을 행운이었다.

50평대의 첫 학원으로 200평대의 학원으로 옮겨가면서 차별화된 나만의 영어 수업을 하기 위해 인테리어 디자인을 전공한 동생이자 동료인 리사 선생님과 아이디어 회의를 하며 우리가 교육할 공간을 상상했다. 학원에 들어서면 공항에 온 것처럼 느껴지게 커다란 로비를 만들고 붉은 벽돌로 교사와 학생들이 함께 연구할 수 있는 랩실을 만들었다. 각 교실은 세계여행을 하듯 나라 이름을 붙여주고 학원 같지 않은 학원 인테리어로 아이들이 영어를 배우는 환경을 바꿔주고 싶었다. 한 번도 가져 본 적이 없는 신나는 공부 경험을 선물하는 학원을 만들기 위해 우리는 계속 상상하고, 하나씩 꿈을 이뤄가기 시작했다.

그리고 운명처럼 새로운 학원에 좋은 사람들이 모이기 시작했다. Vincent White 선생님과 Claire 선생님이 찾아왔다. 빈센트 선생님은 재능이 많은 영국인이었고, 클레어 선생님은 디자인과 영어를 잘하는 열정적인 한국인이었다. 두 사람은 사랑하는 사이였다. 나는 이 두 사람과 함께 교육하면 진짜 즐거운 영어 수업을 할 수 있을 거라고 확신했다. 나의 교육 여행의 두 번째 루트는 그들과 함께 개척하기 시작했다. 빈센트 선생님은 기타를 치며 아이들과 작사 작곡도 하고, 코딩 수업, 과학실험, 연극과 영화 촬영을 하면서 영어를 가르쳤다. 그림 실력이 뛰어난 클레어 선생님은 아이들과 배운 내용을 포스터로 만드는 작업을 하고 발표를 시켰다. 리사 선생님과 나는 한국 아이들을 위한 기초 영어 프로젝트 교육을 담당하며 호흡을 맞춰갔다. 아이들은 한 번도 해본 적이 없는 프로젝트를 하며 성장하기 시작했다. 빈센트와 클레어 그리고 리사 선생님은 교육 아티스트였다. 나는 마치 아트 디렉터가 된 것처럼 그들과 함께 프로젝트 중심의 영어 교육을 디자인하기 시작했다.

마르지 않을 샘이 솟아나는 오아시스 같은 교육 공간이 생겼고 내가 좋아하고 존경하는 사람들과 함께 교육하는 일이 즐거워지자 우리는 우리만의 영어 브랜드로 영어 프로젝트 전문학원을 만들기로 결심했다.

'세상 어디에도 없는 창의적인 영어 교육 공간' 만들기, 우리만의 브랜딩이 시작되었다. 우리 팀 모두는 반짝이는 아이디어와 특별한 감성이 가득해서 브랜드를 만드는 동안 모두 행복해했다.

우리는 상상한 것을 실현하기 위해 상상팩토리 어학원이라는 브랜드를 만들었다. 상상력을 가진 아이들이 함께 모여 특별한 이야기와 창작품을 만드는 영어 공장, 우리 학원 학생들이 무엇이든 자기만의 것을 만들어내는 창조자가 되길 바라는 마음에서 영어학원이지만 영어학원이 아닌 것 같은 이름을 지었고, 영어학원이지만 영어학원 같지 않은 프로젝트 중심 영어 수업을 시작하였다.

프로젝트 중심(Project Based Learning) 영어 수업으로 학생들이 실제 생활에서 활용할 수 있는 영어를 배울 수 있도록 즐겁게 가르쳤다. 교사 중심 교육이 아닌 학생 중심 교육을 하니 아이들과 훨씬 많은 이야기를 할 수 있었고 개개인의 특성도 더 잘 알 수 있었다.

그리고 알게 되었다. 이 교육 공간이 나에게 어떤 의미인지.

엄마의 제안으로 시작된 학원이었지만 내가 왜 학원장이 되어 아이들 앞에 서 있게 되었는지 그날, 열두 살의 여학생을 만나고 알게 되었다.

명랑했던 여학생 한 명이 어느 날 귓불이 빨갛게 달아오른 채로 교실로 들어왔다. 한 번도 본 적이 없는 표정을 하고선 힘없이 앉더니, 내가 인사를 건네자마자 훌쩍훌쩍 울기 시작했다. 이유가 궁금했지만, 실컷 울도록 토닥여주며 기다렸더니 스스로 안정을 찾았다. 그리고 왜 울었는지 조심스럽게 물으니, 친구들과의 오해로 말다툼이 있었다고 했다. 사춘기 소녀들 간의 소리 없는 전쟁이 그녀에게도 갑자기 들이닥친 것이었다. 그 아이의 이야기를 듣고 있는 동안, 나는 나의 열두 살 힘들었던 세계의 문이 활짝 열리는 걸 느낄 수 있었다. 스물아홉이었지만 열두 살의 내가 내 안에서 세상 밖으로 나오려고 하는 걸 알게 된 순간이었다. 그 여자아이가 뚜벅뚜벅 내 안에서 걸어 나와 지금 내 앞에서 흔들리고 있는 열두 살의 여자아이의 손을 조심스럽게 잡아주었다.

"괜찮아, 괜찮아, 괜찮아."

열두 살의 내가 거울을 보며 수없이 되뇌었던 말, 하지만 괜찮지 않았다. 나는 매일 크게 숨을 들이쉬고 내쉬고를 반복하며 교문으로 들어섰다. 말할 친구가 없다는 것, 따돌리는 눈길, 속삭임, 혼자 점심을 먹어야 하는 모든 일이 내게는 해결해야 하는 숙제 같은 것이었다. 나를 매일 일어서게 하는 건 결국 내 몫이었다. 엄마가 학교에 찾아와서 해결할 일도 아니었고 내가 온몸으로 소리친다고 해결될 일도 아니었다는 것을 조금 더 빨리 알았다면 좋았을 테지만, 나는 최선을 다해 시간을 견디고, 그들을 이해하려 했고 마침내, 아무것도 아니었음을 알게 되었으니 아주 큰 성장이었다.

내가 만들고 싶은 학원은 아이들이 서로를 이해하고 소통할 수 있는 공간이었다. 열두 살의 수많은 나와 만나는 공간, 상처를 치유하며 배움을 계속할 수 있는 공간, 그래서 나는 여전히 학원에서 성장하고 있다. 과거 상처받았던 나를 치유하며 오늘의 아이들에게 내 경험을 전하는 것, 그것은 내게 소명 같은 것이었다.

캐스트 어웨이 기억하라 0416

"A man who doesn't jump into the sea can't cross the sea."

바다에 뛰어들지 않는 사람은 바다를 건널 수 없다. 나는 어릴 때 바다가 있는 도시에 살았다. 그 바다에는 섬이 하나 있었는데 피노키오를 삼켜버린 고래처럼 보였다. 나는 그곳에 갈 때마다 고래 등에 올라탄 것 같은 기분이었다. 고래섬은 꼼짝도 하지 않고 그곳에서 사람들을 기다리고 있었다.

그 섬에는 서커스단이 연주하는 아코디언 소리가 울려 퍼졌고 놀이기구들이 뱅글뱅글 돌아가고 있었다. 아이들의 웃음소리와 동시에 아이들의 비명이 울려 퍼지는 이상한 유원지였다. 달콤하고 부드러운 솜사탕에는 바닷바람에 실려 온 짠 냄새가 배어 있었다. 나는 회전 그네를 타는 걸 좋아했는데, 회전하는 그네의 플라스틱 의자에 앉아있으면 온몸이 바다로 내던져지는 기분이었다.

하늘과 바다의 경계가 사라지고 머리카락이 자유롭게 춤을 추며 다리가 허공으로 떠올랐다. 나는 하늘을 날며 내가 세상에서 낼 수 있는 가장 큰 소리로 웃었다. 동시에 긴장해서 차가운 그네의 금속 체인을 꼭 쥐었던 느낌이 아직도 생생하다. 바다와 하늘의 어느 지점에서 나는 뱅글뱅글 뱅글뱅글 돌고 또 돌았다. 눈을 꼭 감으면 섬에 있는 것이 느껴지지 않았다. 육지로 돌아가는 배가 올 때까지, 나는 서커스단의 서커스를 보고 있었다.

열두 살의 나처럼 작고 왜소한 여자아이, 남자아이들이 공중그네 묘기를 부리고 난쟁이가 아코디언을 연주하고 있었다. 기다란 막대기에 올라타서 키다리 흉내를 내는 피에로는 우는 듯 웃는 듯 풍선을 건네주고 있었고 그의 커다랗고 빨간 코를 보고 있으면 재미있고 슬펐다. 그들은 쇼가 끝나고 나면, 어디로 가는 걸까? 나처럼 이 섬을 벗어날 수 있을까? 서커스단원들은 접시를 돌리며 동물들과 끝나지 않을 것 같은 쇼를 계속했다. 봉을 오르고 그네에서 그네를 건너뛰는 아슬아슬한 쇼가 진행될 때도 나는 그들의 내일이 궁금했다. 마지막 배가 섬에서 사람들을 육지로 데려갈 동안 그들은 섬을 빠져나가지 못했다. 그때의 나는 피노키오처럼 매일 행복하다고 거짓말을 하고 있었다.

열두 살에 나는 전학을 갔고, 새 학교의 새 학급에서 55번째 학생이 되었다. 전학 온 첫날 교실의 나무 문이 드르륵거리며 열릴 때 10대 아이들의 호기심 어린 까만 눈동자들과 그들의 시끄러운 목소리와 온몸에서 나오던 열기를 잊을 수가 없다. 시골 땡볕에서 온종일 놀던 나는 까맣게 탔고, 그 봄 불에 그을린 것 같은 까만 피부가 반들반들 빛나던 12살 소녀는 낯선 도시 한복판에서 길을 잃었다. 봄볕이 따갑게 느껴졌다.

도시 아이들은 창백하고 예뻤고, 나는 까맣고 예뻤다. 54명의 아이와 피부색이 달랐고 살던 지역이 달랐고, 무엇보다 사용하는 언어가 달랐다.

'다르다는 것은 불편했다.'

나는 반 번호 55번이었다. 홀수는 짝이 없다는 것을 의미했다. 작고 까맣고 표준말을 쓰던 나는 교실 맨 끝에 앉아 54명의 뒤통수를 바라보며 새 학기를 시작했다. 이해되지 않는 사투리 대화는 내가 낄 수 없었고 나는 점점 섬이 되어가고 있었다. 내가 섬인지 섬에 살고 있는 건지 모르게 고립되었다. 가끔 배가 오는 것처럼 아이들이 다가왔고, 다시 떠나갔다. 교실에는 사춘기 소년 소녀들의 알 수 없는 뜨거운 기류가 흐르고 있었다. 그들과의 소통은 마치 단체 줄넘기를 할 때와 같았다. 단체 줄넘기를 하던 때처럼 언제 뛰어들지를 망설이다 타이밍을 잘못 맞춰 뛰어들어 나는 늘 줄에 걸려 죽고 말았다.

집에 돌아와서 매일 밤 내가 했던 말과 행동, 아이들의 반응을 떠올리며 내일 학교에서 아이들과 해볼 일들을 시나리오처럼 쓰기 시작했다. 친구에게 하고 싶은 말, 해야 할 말을 기록하고 아이들의 반응에 따른 나의 반응들까지 미리 준비해두었다. 혼자 연극을 하듯 매일 내일 일기를 미리 썼지만 내가 생각한 대로 이루어진 적은 없었다. 내가 할 수 있는 모든 일을 해봐도 나는 여전히 이방인이었다. 따돌림의 시간을 견디면서 괜찮아질 거라고 스스로 거짓말을 하고 있었다. 고래 등에서 아슬아슬하게 벗어나 육지로 돌아오면 나는 다시 나만의 섬에 고립되었다. 하지만, 나는 언제든 그 섬에서 나올 수 있다고 믿었다. 그때부터 수영을 배우기 시작했다.

그러다 어느 날 학급의 규칙에 따라 나에게도 짝꿍이 생겼다. 소년은 앉자마자 연필로 책상을 반으로 가르고 선언했다.

"넘어오지 마라. 니."

소년이 그은 삐뚤빼뚤한 선이 내 마음을 반으로 갈랐다. 삐뚤빼뚤한 선을 기준으로 왼쪽, 그건 나만의 땅이었다. 매일 매일 선 긋기를 하던 소년은 나의 오른쪽에 살고 있었다. 나의 섬에는 이제

두 명의 사람이 살게 되었다. 그것만으로도 살 것 같았다. 그 아이의 땅엔 노래 테이프가 가득했다. 노래를 사랑하는 소년은 쉬는 시간마다 계속 노래를 불렀다. 아무도 말을 걸어주지 않고, 말을 걸면 사투리가 아니라서 못 알아듣겠다고 했고 사투리를 배워서 쓰면 사투리를 못 알아듣겠다고 하며 소통을 안 해주던 사춘기 소년 소녀들과 함께 타는 유원지의 롤러코스터는 멈추지 않고 계속되었다. 그래도 소년의 노래로 나는 외롭지 않았다.

학교에서 이야기를 나눌 친구들이 없자 나는 노래와 책 속의 세계로 뚜벅뚜벅 걸어 들어갔다. 다르다는 것이 무엇인지, 나는 열두 살에 알았다.

'다르다는 것은, 특별한 것이었다.'

나는 다르게 살기로 했다. 나는 특별한 사람이었다. 나만의 아일랜드에서 나의 세계를 열었고 섬에서 육지까지 연결하는 거대하고 튼튼한 다리를 건설했고 쾌속정을 타고 파도를 가르며 원하는 곳으로 갈 수 있었다. 고립되는 것 대신 바다로 뛰어들어 탈출했고, 해저 탐험에서 발견한 신비한 열쇠만 있다면 어디에서든 어떤 문이든 열 수 있다고 믿었다.

그 마법의 힘이 깃든 열쇠는 멈추지 않고 탐구하며 도전하는 나였다. 진짜 나를 발견하는 순간, 모든 세계로 통하는 문이 열렸다. 그리하여 이제 나와 다른 생각을 하는 사람들도 만나고 나와 같은 결을 가진 사람들도 만나며 그들과 소통하고 그들의 세계를 넘나들며 즐겁게 살고 있다. 나의 아일랜드는 이제 나와 다르기도 하고 나와 비슷하기도 한 사랑하는 사람들로 가득하다. 사랑이 가득하고 소통 능력과 공감 능력이 좋고 협력할 수 있는 사람들이 사는 아일랜드가 되어가고 있다. 다름의 가치를 아는 내가 남다르게 아이들을 키우겠다고 다짐한 건 필연이었다.

내가 아이들과 교육하는 곳은 안산이다. 우리는 세월호라는 배에 수많은 아이의 세월을 묻었다. 그해의, 그날의 아픔을 기억한다. 나는 여기서 아이들을 지키기 위해 교육의 틀을 바꾸고 아이들 스스로 자기 결정력을 가지고 판단하여 움직일 수 있도록 때론 다정하게 때론 진지하게 때론 단호하게 이야기를 건넨다.

위기일 때 바다에 뛰어들어, 살아남을 수 있도록 생존수영을 배우는 것처럼 나는 아이들에게 쓸모 있는 것들을 가르치는 데 시간을 쓰고 싶다. 내가 사는 도시의 아이들을 위한 교육은 달라야만 한다고, 2014년 4월 16일 8시 50분을 계속 되풀이하지 않기로 매일 다짐한다.

내가 살아남은 것처럼, 아이들에게 살아가는 법을 가르치기로 했다. 나는 이 거친 교육 세계에서 우리의 프로젝트 중심 영어 교육을 계속할 것이다. 내가 가치 있다고 믿는 것을 계속하는 것, 우리의 시행착오를 기억하고 변화하는 것, 그것이 우리가 할 일이다. 그렇게 우리는 멈추지 않고 계속 성장하고 있다.

메타버스 : 오즈의 상상팩토리 어학원

나는 사람들과 소통할 수 있는 천리안 통신을 좋아했다. 천리 밖을 내다볼 수 있는 눈이라니, 멋지지 않은가! 멀리 볼 수 있는 눈! 교육을 하는 사람들과 교육을 받는 사람들 모두에게 천리안이 필요했다. 하지만 우리는 숲을 보지 못하고 나무를 보다 아이들이 공부의 즐거움을 알 수 없게 만들곤 한다. 천리안은 사라지고 지금은 메타버스의 세계에서 살아가고 있다. 상상만 했던 일들이 현실이 되어가는 세계가 열렸다. 아이들은 로블록스에서 만나서 건축 프로젝트를 하고 제페토에서 만나 가상의 세계에서 자신의 아바타를 만들어 대화하고 쇼핑을 하기도 했다. 인터넷만 연결된다면 원하는 사람과 원하는 시간에 가상의 공간에서 함께 있을 수 있는 시대를 살아가고 있다.

영어 선생님이지만 나는 이 세계의 모든 문을 열어보며 아이들과 탐험할 세계를 찾는다. 선생님들이 안내하는 세계의 모든 문제는 수학처럼 딱 떨어지는 답이 아니지만 나만의 영어 방정식을 만들며 풀어 가야 한다. 반복하고 암기해서 정해진 답을 이야기하는 교육은 이미 충분하기에 나는 메타버스의 세계에서 살아갈 아이들에게 조금 더 창의적인 방식으로 영어를 가르치고 있다. 상상팩토리 어학원의 영어 프로젝트 수업에서 무엇을 더하고 빼도, 무엇을 곱하고 나누어도 우리만의 영어 방정식의 답은 언제나 나와 우리의 것이다.

영어책을 잘 읽고 원하는 대답을 잘 쓰고 시험을 잘 보는 일보다 더 가치 있는 것은 나의 이야기를 영어로 할 수 있는 것, 우리의 이야기로 무언가를 창조하여 영어로 표현할 수 있는 아이들로 키우는 것이다. 코로나가 사그라들 무렵 작사 프로젝트를 할 때 아이들은 라임을 배우고, 리듬을 배우며 자신의 이야기를 담담하게 영어로 표현했다.

2020년 코로나로 아이들은 집에서 친구들을 만나지 못하고 갇혀있던 날들에 대한 가사를 써나가기 시작했다. 나는 아이들이 쓴 노래가 울려 퍼지는 교실에서 코로나 시기 얼어버린 마음이 녹으며 몽글몽글 꿈이 다시 피어오르는 걸 느꼈다. 어쩌면 정말 새로운 봄이 올 것만 같았다. 아이들은 마스크를 하고 거리두기를 한 채로 이 노래를 부르고 나는 그 시간을 영상 기록으로 남겼다.

A New Spring
I have no friends. Nobody sees me.
I live like a ghost, feeling so lonely.
I can't speak. My heart is empty.
I'm hoping for a new spring. I'm watching nature drawing.

I'm hoping for a new spring. I'm watching nature drawing.
On a spring afternoon, I go to the mountain. Climbing to the top.
I feel the fresh wind. I hear birds and see the other children.
I'm hoping for a new spring. I'm watching nature drawing.
I'm hoping for a new spring. I'm watching nature drawing.
We play together. Deep in the valley. Splashing in the river.
We are so happy. Dry in air. Let's come back again.
I'm hoping for a new spring. I'm watching nature drawing.
I'm hoping for a new spring. I'm watching nature drawing.

　나는 X세대로 MZ세대들과 함께 성장 중이다. 메타버스의 세계에서 아이들은 현재와 미래가 공존한 삶을 살아가고 나는 그 속도를 따라잡기 위해 공부하지만, 미디어가 없던 과거의 학습법이 우리 아이들에게 필요한 순간이 있다. 365일 프로젝트 수업을 디자인하는 빈스 선생님은 디지털과 아날로그 수업을 결합한 수업을 기획한다. 태블릿 PC로 디자인하기 전에 손으로 아이들이 직접 그림을 그리게 하고 자기 작품을 영어로 설명하는 프레젠테이션을 찍게 했다. 아이들의 고사리 같은 손으로 자기 생각을 기록하고 제작한 결과물을 보게 되면 그동안의 고생들이 가치 있는 시간이었음을 알게 된다.
　'상상팩토리에서는 슈퍼노멀한 아이들을 키우고자 한다.'
　뉴노멀은 시대에 따라 환경에 따라 세상에서 새롭게 기준이 되는 것을 말한다. 나는 슈퍼노멀한 아이들을 위해 영어 교육의 기준을 새롭게 제시하고 싶다. 뉴노멀 시대에서는 예전과는 다른 환경에서 다양한 도전에 직면하고 있다. 이러한 변화 속에서 우리는 슈퍼 노멀한 아이를 기르기 위한 새로운 교육 방법을 모색해왔고 프로젝트 수업이 아이들을 성장시키는 것을 기록했다.
　무엇보다 프로젝트 영어 수업을 통해 아이들의 창의성과 문제해결 능력이 향상되었다. 학생들에게 주어진 주제나 문제에 대해 창의적이고 독립적으로 생각하고 행동할 수 있는 기회가 많아졌기 때문이다. 이를 통해 학생들은 뉴노멀한 상황에서도 적응력을 키우며 미래의 도전에 대처할 수 있는 능력을 기를 수 있다. 실제로 우리 학원 아이들은 자신만의 브랜드를 만들기 위해 로고를 디자인했고 자신만의 레스토랑을 오픈하고 요리법을 개발하면서 실생활에 도움이 되는 영어 수업으로 이론과 기술을 결합해 문제를 해결해 나갔다.

코로나 이후 아이들은 소통 능력과 협업 능력이 낮아졌지만, 프로젝트 수업을 통해 협업과 소통 능력이 향상되고 있다. 프로젝트를 통해 학생들이 서로의 강점을 살려 협력하고 의견을 나누는 기회가 많아 아이들은 자연스럽게 자신의 의견을 이야기하며 문제를 해결한다. 우리 학원에서는 이중언어 수업으로 자신의 이야기를 한국말과 영어로 표현하며 소통을 시도하고 있다. 또한 다양한 사회적 상황에 대처할 수 있는 능력을 강화하기 위해 토론하고 글을 쓰고 결과물을 발표하는 연습을 계속하고 있다.

이제 디지털 기술의 활용이 중요한 역할을 하기에 프로젝트 수업에서 학생들에게 다양한 디지털 툴과 자원을 활용하는 법을 가르쳐줌으로써 디지털 리터러시를 향상 시키고 있다. 무분별한 기기 사용이 아니라 자신이 필요할 때 모든 도구를 이용하여 문제를 해결하도록 하는 것이다.

우리는 세계가 하나로 연결되어 있음을 코로나바이러스 확산을 통해 모두가 알게 되었다. 세계 각지의 상황과 사건에 대한 이해가 필요한 시대, 프로젝트 수업은 다양한 주제를 다루고 글로벌 시민으로서의 의식을 강조하여 학생들이 세계 시민으로 성장하는 데 도움을 줄 수 있다. 아이들을 위해 끊임없이 세상을 탐험할 수 있는 주제로 영어 수업을 만들어간다.

그리고 마지막으로 자기 조절 학습 능력을 키워준다. 프로젝트 수업은 학생들이 자신의 목표를 설정하고 그에 따라 계획을 세우며 주도적으로 학습하는 기회를 제공하여 학습 동기와 능력이 향상된다. 아이들이 하고 싶은 일을 하도록 하고, 하고 싶지 않은 일도 하게 하면서 아이들을 자극하고 동기를 부여하며 성장할 수 있도록 세심하게 교육하고 있다. 이를 통해 학생들은 다양한 상황에서 뛰어난 능력을 발휘하며 성장하게 된다. 아이들의 교육을 책임지고 있는 부모님과 선생님들이 생각을 바꾸면 아이들의 오늘을 바꿀 수 있다고 믿는다. 우리부터 슈퍼노멀한 사람이 되어 오늘의 낡은 교육의 틀에서 벗어나 새로운 교육을 시도하여 아이들의 미래를 바꿀 수 있길 바란다.

당신의 체온은 36.5도 정상입니다.

몽골의 광활한 초원에서 말을 타고 달리고 또 달리는 상상을 했다. 십 년이 넘게 학원과 집을 오고 가며 교육하는 생활이 계속되니 까만 밤하늘에 총총히 뜬 별을 올려다보며 밤을 맞이하고 아침에 다시 이동을 시작하는 유목민의 삶을 꿈꿨다. 그리고 아무도 가고 싶지 않고 누구도 초대하지도 않았던 코로나와 함께하는 이상한 세계가 열렸고, 나는 갑자기 유목민의 삶을 살게 되었다.

코로나라는 질병이 세계를 강타하며 우리의 모든 일상은 멈추었다. 집합 금지 거리두기 마스크 착용 손 씻기 방역 체온 재기라는 말을 몇 해 동안 들었던 날들이 거짓말처럼 사라진 것이 믿겨 지지 않는다.

"당신의 체온은 36.5도 정상입니다."

사람의 체온 36.5도, 이 체온을 넘으면 위험신호였다. 디지털화된 비대면 체온계에선 빨간불이 켜지고 경고음이 울렸다. 학원에

온 아이는 체온이 높다는 이유로 집으로 돌려보내졌다. 코로나 기간 체온계와 소독 기구, 마스크, 진단키트 그리고 백신은 계속해서 진화하기 시작했다. 몇 주면 끝날 것 같던 날들이 끝나지 않았다. 아무도 경험해 보지 않은 시대가 열리고 있었음을 나는 몰랐다. 마냥 기다리고 또 기다려야 했다.

여름방학 동안 매미가 한낮 내내 울었다. 7년을 땅속에서 살며 세상 밖으로 나오길 기다린 매미는 7년의 긴긴 기다림 끝에 아름다운 천사의 날개를 얻고 뜨거운 여름 가장 아름다운 사랑을 하고 생을 마감한다. 우리의 교육제도가 아이들을 매미처럼 살게 한다. 매미처럼 수년간 아이들은 그들만의 땅속에서 배우고 또 배운다. 세상 밖이 어떤지도 모르면서 시험을 위해 공부를 하고 있다. 그리고 배운 모든 것들이 단 하루, 대학 입시를 치르는 날 점수화되어 세상 밖으로 나온다. 그 숫자로 사람을 평가할 수 있을까? 우리 모두 오랫동안 땅속에서 견디며 때를 기다릴 줄 아는 매미처럼 언젠가는 세상에 나가 뜻을 펼칠 날을 꿈꾸었다. 임금님처럼 매미 날개 모양을 본뜬 익선관(翼善冠)을 머리에 쓸 날을 기대하면서 말이다. 엄마는 꿈이 많은 나에게 항상 말씀하셨다. "너는 왕관을 세 개나 쓸 운명이란다." 그래서 나는 언제나 어디서든 리더가 될거라고 믿었고 열심히 살았다. 그리고 정말로 어디서나 리더의 자리에서 살고 있다. 하지만 그 자리는 모두 내가 만든 것이었다. 내 자리를 세상의 시스템 안에서 찾았다면 나는 리더가 되지 못했을 것이다. 내가 잘하는 일을 알았고 내가 일할 자리를 스스로 만들어서 살아갔다. 내가 키우는 아이들도 그랬으면 좋겠다.

'Think out of the box.'
한 여름밤을 위한 삶 말고 아이들이 매일 행복으로 가득한 교육 여행을 했으면 좋겠다. 그리고 오랫동안 자신의 경험과 지식을 이용해 자신만의 영역을 확장해 나가길 바란다.

그해 여름, 매미는 울음을 토해냈다. 매미의 삶이 끝나가는 여름이었다. 때가 오기를 기다리는 것이라면, 자신 있던 나였지만 바이러스와의 전쟁 중 생을 마감하는 사람들을 보고 있으니 미래가 그려지지 않았다. 상상 이상의 시간이 상상을 멈추게 했고 특별한 치료법이 없이 코로나 백신을 접종하며 전 세계는 바이러스와 전쟁에서 지쳐가고 있었다.

무더위를 피해 딸아이와 도서관에 사뿐사뿐 걸어갔다. 오랜만에 방문한 도서관 수많은 책이 손을 번쩍 들며 반갑게 인사했다. 코로나로 도서관에서 다른 사람들이 만진 책을 보는 일마저 조심스러웠던 때라 책들도 우리가 반가웠겠지.

"나를 보러왔구나."

기다려 본 사람은 안다. 기다리던 사람이 왔을 때의 반가움을. 딸아이가 열 권의 책을 골라서, 잠시 도서관 에어컨 바람으로 땀을 식히고 오백 년의 삶을 살아온 동네의 멋진 은행나무 그늘을 지나 집으로 돌아왔다. 그러고 보니, 코로나 기간에는 마음 편하게 쉰 적이 없었다. 아침이나 저녁에 전화가 오면, 늘 긴장했다. 전화벨 소리가 코로나가 내 앞으로 성큼성큼 다가오는 소리처럼 들렸다.

그 시기에 전화가 온다는 것은 코로나로 격리되었음을 알리기 위한 것이었다. 코로나에 걸린 아이들과 가족들을 위해 약을 보내고 마스크 대란일 때 마스크를 구매해 나누고 진단키트가 비쌀 때 미리미리 준비해 두고 나누는 것, 매일 매일 학원을 소독하는 것이 나의 일상이었다. 누군가로부터 보호받은 것 같이, 내게 소중한 사람들을 하루하루 지켜냈을 때의 감사함을 나는 기억한다. 나의 교육 공간에서 나의 학생들, 나의 동료들 그리고 가족들 모두 안전하기를 바라는 마음뿐이었다.

그렇게 여름이 가고 가을이 지나고 겨울이 오기를 반복했다. 그해 겨울, 며칠 눈이 오고 녹고 얼기를 반복하더니 학원을 지키던 초록빛 나무들이 모두 얼어 죽었고 수도마저 얼어서 터져버렸다. 학원에 도착하니 화장실의 배관이 왈칵왈칵 눈물을 쏟아내고 있었다. 장비를 챙겨 들고 울고 있는 배관의 눈물을 막아보려고 애썼지만, 나는 온몸에 물을 뒤집어쓰고 오들오들 떨기 시작했다. 꽁꽁 얼어버리기 전에 전문가를 불러야 했다. 출장 수리 기사님이 5분 만에 장비를 교체해 주시니 학원 건물도 울음을 멈췄다.

학원이 눈물을 멈추는데, 5만 원이 들었다. 코로나로 얼어버린 시간은 얼마를 내야 녹일 수 있을까? 아이들과 거리를 두고 할 수 있는 것이 많지 않아서 봄이 오고, 사람 사이의 온기를 느낄 수 있는 평범한 하루를 하루빨리 소환하고 싶었다. 좋은 사람들이 가득 모이는 좋은 학원으로 울지 않고 출근하고 싶었다, 매일 매일에 서로에게 충실하며 함께 살아내서 이 이상한 바이러스와 이별하고 싶었다. 코로나 기간의 기다림은 때론 반가움이었고 때론 두려움이었고 때론 슬픔이었다.

이렇게 예측 불가능한 사건들을 겪을 때마다 나는 내가 하는 교육에 대해 심각하게 고민했다. 아이들의 시간은 한정되어 있었고 학원에서 무엇에 가치를 두고 이 아이들을 교육해야 하는지 결정할 순간이었다. 그리고 나의 선언은 언제나처럼 계속되었다.

"영어를 가르칩니다만, 아이들과 다양한 도전을 하며 실패와 성공하는 경험을 선물하겠습니다."

영어 수업이 단어와 문장을 읽고 쓰고 암기해서 시험 보는 방식이 아니지만, 하나씩 아이들 스스로 할 수 있는 일을 해내면 영어 실력도 실생활에 쓰일 수 있는 문제해결 능력도 좋은 학생들로 키워진다고 학부모님들에게 이 교육을 계속 알려야겠다고 생각했다. 상상할 수 없었던 코로나의 시대를 살아봤으니 우리는 살아남기 위한 우리만의 교육법을 계속 연구해야 했다.

우리는 미래 교육을 하지만, 우리의 과거와 현재를 결합하여 미래로 나아가는 뉴트로 감성이 영어 교육에도 필요하다고 생각한다. 나는 카세트테이프 플레이어를 처음 산 날을 잊을 수가 없다. 좋아하는 음악을 들으며 학교에 갈 때 나만의 세계가 함께 이동하는 것 같아 외롭지 않았다. 세상의 소음을 차단하고 음악으로 가득 찬 세상이라니 게다가 친구와 이어폰을 나눠 끼면서 소리를 단둘이 공유한다는 것도 매력적이었다.

소란스러운 교실의 쉬는 시간, 점심시간 벤치에 앉아있을 때 나무를 스치고 온 바람이 뺨에 와닿을 때 음악이 흘러나왔다.

마이마이 카세트테이프 플레이어는 새로운 공간과 세계를 열어주었다. 하지만 빨리 감기와 되감기를 계속하면 테이프는 늘어나고 만다. 늘어진 테이프는 괴상한 소리를 내며 카세트테이프에 친친 감긴 채로 생을 마감한다. 나는 학원을 하는 동안 수많은 아이가 늘어진 테이프처럼 공부하고 있는 모습을 발견했다. 그리고 결국은 늘어질 대로 늘어진 테이프는 되감아지지도 빨리 감아지지도 않은 채로 아이의 발목을 휘감아 결국에는 아이를 쓰러뜨렸다.

처음 카세트테이프에서 들었던 선명하고 아름다운 소리를 되찾아주기 위해 교육은 아주 조심스럽고 부드럽게 아이의 재생 버튼과 멈춤 버튼을 눌러주는 역할을 해야 한다.

모든 아이는 아이만의 속도가 있다. 빨리 감을 필요도 되감을 필요도 없다. 태어나는 순간 재생 버튼은 누구나 똑같게 눌렀으니, 이제 제 속도대로 인생을 연주하면 된다. 그리고, 그 아이는 자신만의 일시 정지와 멈춤 그리고 재생 버튼을 사용하며 자기 속도를 조절할 것이다. 누구도 그 아이를 위한다고 빨리 감기 버튼과 되감기 버튼을 눌러서는 안 된다.

나의 체온은 36.5도, 정상이다. 이제 다시 시작이다. 학원을 시작한 지 20주년이 되는 2024년, 나는 다시 선언한다.

"나는 아이들과 눈 맞추며 아이들의 속도에 맞춰 함께 걸어가는 멘토가 될 것이다."

사람의 따뜻한 체온을 담은 따뜻한 영어 교육 현장을 만들기 위해 오늘도 기록을 계속한다.

오백 년 된 은행나무 앞에서
디즈니 뮤지컬 회사를 만났습니다

1996년에 개봉한 은행나무 침대는 과거와 현재를 오가는 네 남녀의 이루지 못한 사랑을 천 년이라는 시공간을 두고 펼치는 판타지 영화였다. 이 영화에 나오는 두 그루의 은행나무를 잊을 수가 없었다. 그리고 나는 내 인생의 두 번째 은행나무를 만나게 되었다.

디즈니 뮤지컬 플레이 북을 출판하는 본딩 에듀케이션 본사에 도착했을 때 가을이 깊어지고 있었다. 본사 앞마당에는 오백 년이 넘은 은행나무가 서 있었다. 노란 은행 나뭇잎이 바람에 흔들리고 있었다. 눈부시게 맑은 날이었다. 은행나무가 내게 말하는 것 같았다.

"오래 기다렸어."

나는 이 회사의 이인숙 대표님과 2018년에 알게 되었지만, 각자의 자리에서 자기 일에 열중하느라 만남이 오래 지속되지는 못했다. 코로나가 닥쳤고 그 시기를 이겨내고 다시 생각난 분이 이 대표님이었다. 코로나로 갇혀 지낸 아이들을 위해 몸을 움직이며 열정적으로 영어를 배울 수 있는 뮤지컬을 하고 싶다는 생각이 들자마자 이 대표님께 전화를 걸었다. 수년이 지났지만, 대표님은 다정하게 전화를 받아주셨고 나는 여유로운 토요일에 회사에 찾아가기로 했다. 그리고 마침내 오백 년이 된 은행나무 언니 앞에 서서 한참을 올려다보고 있으니, 시공이 모두 열린 것 같았다.

나는 결혼 하고 오랫동안 아이가 생기지 않아 공기 좋은 산 아랫마을로 이사를 갔는데 그곳에도 오백 년이 넘은 은행나무가 있었다. 오백 년의 세월을 모두 기억한 채 살아온 은행나무 앞에 서면 신비로운 기운이 온몸을 감싸는 것 같았다. 과거와 현재를 연결하는 시공간에 서 있는 것 같은 느낌이었는데 깊은 가을 운명처럼 본딩 에듀케이션 회사 앞에서 또 다른 500년 된 은행나무 언니를 만난 것이었다. 그리고 참 이상하게도, 오래오래 이날을 기억하게 될 것 같았다.

그 인연으로 작년 가을 나는 마흔여섯 명의 원장님과 디즈니 뮤지컬 프로젝트를 시작했다. 전국에서 디즈니 영어 뮤지컬로 아이들을 교육하고 싶어 한 원장님들을 만난 건 내게 또 하나의 거대한 세계의 문을 연 것과 같았다. 상상팩토리 어학원의 학생들과 전국 곳곳에 있는 학생들이 같은 교재와 같은 뮤지컬 곡으로 춤을 추고 노래를 하고 연기를 하기 시작했다. 교육자료를 공유하고 교육 결과를 공유하며 서로의 수업의 틀을 깨는데 우리는 모두 협력하고 있었다.

디즈니 뮤지컬 수업으로 아이들의 변화를 기록하고 이 수업에서 아이들의 활기를 느낀 원장님들은 더 열정적으로 변해가고 있었다. 우리 학원 아이들은 프로젝트 수업으로 무엇을 도전해도 빠르게 적응하고 즐겁게 수업에 참여하는데 디즈니 뮤지컬 수업은 노래와 춤이 있어서 더욱 강력한 마력으로 아이들을 열광시켰다.

오백 년 된 은행나무 두 그루가 이 대표님과 나를 만나게 하려고 오래전부터 준비해 온 것 같다는 생각이 들었다. 만나야 할 사람들은 반드시 만난다는 말처럼 나는 내 교육에서 필요한 것들을 이 대표님과 함께 만들어 갈 수 있겠다는 확신이 들었다.

'은행(銀杏)'은 '은빛 살구'라는 뜻이다. 흔히 열매로 여겨지는 은행 나무씨가 살구와 비슷하며 표면이 은빛 나는 흰 가루로 덮여 있어서 붙은 이름이다. 은행나무는 30년 가까이 자라야 씨를 맺는데, 따라서 '손자 대에 이르러서야 종자를 얻을 수 있는 나무'라고 '공손수(公孫樹)'로 불리기도 한다. 은빛 살구를 얻기까지 30년이 걸린다. 내 교육은 이제 20년 차, 앞으로 10년이 지나면 우리의 이야기가 종자를 얻을 수 있으리라 기대해 본다.
지금은 씨를 뿌리고 자라기를 기다리는 시간, 그 시간의 힘을 나는 믿는다.

루트 파인딩, 개척의 시간입니다

미국 여행을 하는 동안, 나는 여행사에서 계획한 루트대로 이곳에서 저곳으로 옮겨가며 탐험했다. 다른 사람의 계획에 따라 움직이는 여행은 새벽부터 밤까지 많은 것을 보여주었지만 나의 속도와 나의 비전과는 맞지 않았다. 나에게 맞는 새로운 여행 루트를 만들어야겠다고 생각했다. 루트 파인딩, 자신이 나아갈 길을 정하는 것 그것이 내가 해야 할 일이었다.

루트 파인딩을 정말 잘하는 분은 엄마였다. 엄마는 내게 등대 같은 사람이다. 길을 잃고 어두운 곳을 헤매고 있으면 항상 제자리로 돌아올 수 있도록 밝은 빛을 깜빡 깜빡거리며 신호를 주셨다. 그 빛을 따라가면 다시 집이었다. 하지만 나는 언제나 계속 여행을 떠나고 길을 잃고 다시 엄마의 빛을 보고 집으로 돌아오곤 했다.

엄마는 이방인이 되어 혼자가 된 나에게 새로운 친구를 찾아 주곤 했다. 어느 날 나는 엄마에게 피아노 학원에 다니고 싶다고 말했다. 하얗고 까만 건반에서 나오는 소리가 예뻤다. 내 손으로 피아노를 연주하는 상상을 하면 너무 행복했다. 하지만 엄마는, 내 손을 가만히 쓰다듬으며 말씀하셨다.

"너는 작고 예쁜 손을 가지고 있어서 피아노 건반을 칠 때 힘들지도 몰라, 대신 서예를 배워 보는 건 어떠니?"

엄마의 제안을 듣고 나는 내 손을 쫙 펼쳐 보았다. 유난히 짧은 새끼손가락을 까딱까딱하니 조율되지 않은 낡은 피아노 건반 소리가 났다. 엄마 말씀처럼 나는 내가 잘할 수 있는 일을 하는 것에 집중하는 게 좋겠다고 생각했다. 그래서 피아노 연주를 들으며 서예를 배우기로 했다. 엄마와 서예학원에 갔는데 그날을 잊을 수가 없다. 입구에 들어서자마자 오래된 종이 냄새와 짙은 묵향이 느껴졌다. 화선지의 사각거림과 손끝에 닿는 종이의 감촉이 좋았다. 엄마가 소개해 준 새 친구는 문방사우였다.

선생님은 먹물을 벼루에 부어주시며 먹을 진하게 갈아야 글이 잘 써진다고 하셨다. 경건한 마음으로 먹을 갈아야 한다고, 먹을 가는 동안 마음을 가라앉히고 한 글자 한 글자 정성 들여 쓰라고 하셨다. 글자의 획수와 붓의 각도 손의 힘에 따라 글자가 달라졌다. 붓끝을 어떻게 빼느냐에 글이 달라졌다. 한 획 한 획 힘을 주어 글을 완성해 나가고 화선지 가득 묵향이 번질 때 나는 화선지에 스며드는 먹물의 양을 조절하기 위해 힘 조절을 하기 시작했다. 먹을 갈며 참아 내는 힘, 글을 쓸 때 조절하는 힘, 마침내 한 글자씩 써 내려가면 의미 있는 작품이 완성되는 시간이 좋았다.

열두 살의 나는 묵직한 벼루에 먹을 가는 시간이 좋았다. 시계 방향으로 묵을 갈고 있으면 시간이 먹물 속에 흘러가는 기분이었다. 쓱 쓱 스치는 소리를 내며 먹과 벼루가 매끄럽게 마찰할 때 진한 먹물이 벼루 안에 가득해지면 글을 쓸 시간이다. 글을 쓰기 위한 기다림이 좋았다. 먹을 갈아서 글을 쓰게 될 단계에 이른 것을 발묵이라 하는 데 곧 먹이 피어나서 먹물이 아름다운 빛깔로 나타나는 것을 말한다. 발묵을 위한 시간은 충분히 가치 있었다. 교육하는 동안 기다림은 필수다. 아이가 성장하는 동안 길을 제시하고 기다리고 응원하고 생각과 다른 것은 함께 수정하며 앞으로 걸어 나가는 수업, 오류를 찾고 시행착오를 함께 해가며 성장하는 시간, 그것이 내가 찾은 교육의 새로운 길이었다.

서예를 배우는 동안 엄마는 책을 좋아하는 나를 새로 생긴 속독학원에 데려가셨다. 그날부터 나는 도서관처럼 책이 가득한 속독학원에 반해서 매일 매일 책을 읽으러 학원으로 갔다. 책을 빨리 읽고 의미를 파악하기 위해 훈련을 하며 눈동자 빨리 굴리기 재주가 생기자, 서커스에 나와 묘기를 부리듯 엄마 앞에서 눈동자가 빨리 움직이는 걸 자랑했다. 나에게 책은 세상의 문을 여는 통로였다. 문을 열면 어디로든 갈 수 있었다. 과거와 현재 미래를 넘나들며 시공을 초월했다. 책은 다른 사람들의 생각을 전달하고 나에게 수많은 이야기를 들려주었다. 책을 펼치면 나이와 상관없이 어디에든 갈 수 있었다. 속독법은 내가 수능 2세대가 되었을 때 길고 긴 지문을 읽는 데 도움이 되었다.

지금 생각해 보면 엄마의 루트 파인딩이 얼마나 현명했는지 알 수 있다. 아이에게 필요한 걸 찾아서 홀로 그 길을 탐색하며 성장할 수 있게 준비시키는 것, 나의 조난에 대비해, 엄마는 언제나 그 자리에 계셨다. 돌아갈 곳이 있고, 기다리는 사람이 있다는 믿음 덕분에 나는 나만의 루트를 찾아 아직도 여행 중이다. 일흔이 훌쩍 넘은 지혜로운 엄마가 기다리는 집으로 돌아오면서 나도 내 아이가 돌아와 언제든 쉴 수 있을 집을 만들어야겠다고 생각했다.

"You must come back home."

나의 PLAN B :
영어학원 원장이지만 작가가 되었습니다.

나는 작가가 되어 드라마를 쓰거나 영화 시나리오를 쓰면서 살고 싶었다. 하지만 영어를 전공하고 영어 선생님이 되면서 나만의 특성을 살려 아이들과 영화를 기획하고 시나리오를 쓰고 촬영하고 편집하는 창의적인 영어학원을 만들었다. 그것이 내 인생의 첫 번째 플랜비였다. 원하는 대로 살 수 없다면 자신의 재능을 살려 다른 일을 기획하고 그 일로 성취감을 느낄 수 있도록 계획을 세우고 실행해야 한다. 하지만 우리의 교육은 한 곳을 향해 달려가고 있고 그것만이 정답인 것처럼 아이들을 꼼짝할 수 없도록 틀 안에 가둔다. 내가 틀을 없애고, 나의 영역을 넓히며 살아갈 수 있었던 이유는 플랜비가 있었기 때문이다.

2024년 상상팩토리 어학원의 영어 프로젝트는 신화를 연구하고 우리만의 신화를 만드는 것을 시작으로 팝뮤직을 만들어 함께 노래할 것이다. 아이들과 가고 싶은 나라를 검색하고 조사하며 세계여행을 하고, 여름이 되면 영어 시나리오를 써서 영화를 제작하고, 자신만의 브랜드를 만들어 가방도 디자인할 것이다. 가을엔 아름다운 도시계획을 하고, 팟캐스트 프로젝트로 나만의 관심사를 인터넷방송에서 영어로 전달해 보고, 겨울이 되면 크리스마스 파티로 한 해를 마무리할 것이다. 이것이 우리의 계획들이지만, 예측 불가능한 세계에 대비해 우리에겐 언제나 플랜비가 있다.

"당신에게도 플랜비가 있나요?"

특별한 프로젝트 전문 영어학원 상상팩토리 어학원 운영 20년 차인 나는 플랜비의 대표로 2024년 새로운 세계의 문을 열었다. 대한민국 교육부 장관상을 받은 온라인 영어 학습 프로그램 원아워를 통해 자기 조절 학습을 연구하며 학생들을 가르치는 이태연 원장님과 작가이자 드림빅잉글리시를 운영하는 안지원 원장님을 만나게 되었다. 그리고 우리는 플랜비라는 영어 교육 연구회를 만들었다. 멸종 위기의 꿀벌들의 귀환, 플랜비! 우리에겐 계획이 있다. 복잡한 영어 교육 생태계를 정화하고 아이들 중심의 영어 수업으로, 아이들이 행복한 교육 환경을 만들기 위해 우리는 뜻이 같은 원장님들께 플랜비의 벌집을 분양하기 시작했다.

그렇게 모인 플랜비의 원장님들은 자신만의 특별한 브랜드를 만들기 위해 늘 연구하시는 분들이다. 전국의 숨어있던 영어 고수들로 가득한 플랜비! 우리는 함께 영어 프로젝트 수업을 연구하고 자기 조절 학습을 적용해 가장 특별한 영어 커리큘럼을 완성하려 한다. 또한 열정이 넘치는 플랜비 원장님들은 디즈니 뮤지컬 영어 수업으로 학생들에게 노래와 춤을 선물하고 공연을 통해 협업하는 즐거움을 알 수 있도록 새로운 세계를 열어주고 있다. 전국의 플랜비 원장님들의 학생들이 모여 디즈니 뮤지컬 순회공연을 하는 날이 오기를 꿈꿔본다.

그리고 마침내 나는 플랜비에서 내 오래된 꿈을 이루었다. 나는 마침내 작가가 되었다. 꿈을 꾸기 시작했을 때부터 꿈의 씨앗은 나의 텃밭에 뿌려졌고 나도 모르는 사이, 내가 성장하는 동안 잊혔던 꿈의 텃밭에서 스스로 싹이 나고, 꽃이 피고, 꽃이 지고, 다시 열매를 맺어, 오늘, 나의 꿈은 다시 피어났다.

꿈을 꾼다는 것, 상상을 해본다는 것, 계획을 세우고 바로 실행해 본다는 것, 매번 실패하고도 다시 도전하는 것, 그것이 나의 힘이고, 나의 브랜드다.

플랜비에서는 드림빅북스 안지원 대표님과 함께, 내가 작가가 된 것처럼 플랜비 원장님들의 아름다운 영어 교육 이야기를 책으로 집필할 수 있도록 작가 프로젝트를 진행 중이다. 대한민국의 영어 교육의 새로운 길을 개척하는 영어원장들의 이야기는 이제 플랜비에서 시작될 것이다.

교육제도 변화에 따라 발생하는 거대한 토네이도가 몰려올 때마다, 우리 아이들을 위해 건강한 교육을 준비하며 그 돌풍을 뚫고 뚜벅뚜벅 두려움 없이 함께 걸어가는 사람들이 많아졌으면 좋겠다. 밤바다의 어둠 속에서도, 하늘의 별을 볼 수 없을 때도, 우리 엄마가 그랬던 것처럼 나는 나의 아름다운 아일랜드의 등대를 지키며, 길을 헤매고 있는 사람들에게 소신껏 교육하는 우리가 여기 있다고, 혼자가 아니니 안심하고 길을 찾아오라고 불빛을 비춰주고 싶다.

오늘도 감사 일기를 씁니다

아이들의 배움이 시작되는 곳은 집, 가정입니다. 저는 가족과 함께하는 모든 소중한 일상, 대화들이 아이들을 아름답게 성장시킨다고 믿습니다. 그래서 저는 오늘도 감사 일기를 씁니다. 제가 무엇이든 도전하고 실행하며 성장할 수 있게 사랑으로 키워주신 엄마 아빠, 감사합니다. 덕분에 오늘도 행복하게 제 길을 찾아 뚜벅뚜벅 걸어갈 수 있습니다.

제 모든 유년의 시간을 사랑으로 채워주신 외할머니, 외할아버지, 지금까지도 늘 지지해주는 큰외삼촌, 큰외숙모, 어릴 때 줄넘기와 고무줄놀이를 가르쳐준 작은 외삼촌, 나의 모든 학습 능력을 키워주고 자전거를 태워서 서점에 가고 영화관을 데려가 준 멋진 스승님 막내 외삼촌, 그리고 어릴 때도 커서도 나를 돌봐준 이모와 이모부 그리고 사촌 형제 자매들 감사하고 사랑합니다.

존경하는 작가이자 제 남편에게 감사를 전합니다. 제 일을 지지해주고 늘 성실하게 글을 쓰고 당신만의 세상을 창조하는 것이 늘 경이롭습니다. 딸을 사랑하고 가정을 지키는 당신을 사랑합니다.

세상의 모든 것이 아름답고 감사와 사랑으로 가득 차 있다는 걸 매일 매일 알려주는 나의 아름다운 딸, 앨리스. 사랑해. 너와 함께하는 모든 날이, 모든 순간이 엄마에겐 큰 선물이란다. 매일 사랑을 전해줘서 고마워.

배움이 취미인 창의적인 프로젝트 디자이너 빈스 선생님, 그의 아내이자 이중언어를 쓰는 이사벨의 엄마인 클레어 선생님, 누구보다 아이들을 가르치는데 진심인 두 분이 집에서도 학원에서도 온통 아이들 교육 이야기를 할 만큼 온 마음을 다 담아 교육하고 있다는 걸 압니다. 감사하고 사랑합니다. 함께 교육하고 있어 늘 행복합니다.

사랑이 넘치는 다다 선생님은 아이들과 선생님들 모두를 살피며 초등부 프로젝트 영어 수업부터 고등부 수능 영어 수업까지 할 수 있는 능력자입니다. 누구보다 따뜻한 마음을 가지진 당신과 삶의 이야기를 함께 나눌 수 있어 늘 감사하고 사랑합니다.

늘 객관적인 시선으로 아이들을 교육하는 샬롯 선생님은 세 아이의 엄마이자 우리를 지켜주는 감사한 소방관의 아내입니다. 큰아이를 상산고에 입학시킨 교육 비법으로 우리 학원 학생들의 올바른 학습 습관 길러주기 위해 노력해 주셔서 감사하고 사랑합니다.

언제나 진지하고 잘 웃는 케이 선생님은 영어를 처음 배우는 학생들부터 중학생 아이들까지 꼼꼼하게 학생들을 관찰하며 교육을 해주십니다. 늦게 만났지만 오래 함께하길 바랍니다. 감사와 사랑을 전합니다.

제 동생이자 분원의 부원장인 리사 선생님은 재능이 많고 아이들에게 다정합니다. 다양한 프로젝트 수업으로 아이들이 영어를 즐겁게 배울 수 있게 해주셔서 늘 고맙습니다. 사랑합니다.

교육에 진심인 저는 영어 재원생들의 수학과 언어능력 향상을 위해 수학과 언어사고력 수업도 하고 있습니다. 우 선생님은 입사 후 한 번도 결근한 적이 없는 성실하고 꼼꼼한 수학 실력자로 초등부부터 고등부 입시까지 학생들의 수학 실력 향상을 책임지고 있습니다. 오랜 시간 함께해 줘서 늘 감사합니다. 그리고 사랑합니다.

에반 사고력 수학 수업으로 창의적인 수학 수업을 진행하는 고 선생님과 이 선생님의 따뜻함과 냉철한 분석력을 존경합니다. 오래오래 함께 교육 이야기를 나눌 수 있기를 기원합니다. 사랑합니다.

디즈니 뮤지컬의 세계를 아이들에게 열어줄 수 있게 좋은 영어 교재를 만들고 교육에 진심인 본딩 에듀케이션 이인숙 대표님께 감사와 사랑을 전합니다. 오래 좋은 교육 함께 하겠습니다.

이중언어 교육과 창의 사고력 교육을 위해 가천대 영재교육원의 고정임 교수님을 만나 에반 언어 수리 사고력 전문가가 되었습니다. 고 대표님, 감사하고 사랑합니다.

그리고 저에게 감사합니다. 2024년에는 상상팩토리 어학원 학생들이 영어로, 수학으로, 한국어로 토론할 수 있는 커리큘럼을 완성하였습니다. 그리고 마침내 작가가 된 저를 칭찬합니다. 항상 꿈을 꾸고 무엇이든 도전하는 저를 사랑합니다.

상상팩토리 어학원을 믿고 아이들을 교육할 수 있게 해주신 모든 학부모님께 감사를 전합니다. 우리 아이들이 사랑을 잘 전하고 창의적인 인재로 자랄 수 있도록 최선을 다해 교육하겠습니다.

끝으로 도전을 두려워하지 않고 세계를 탐험하는 제 교육 이야기를 읽어주신 모든 분께 감사를 전합니다.

에필로그 : 오즈의 마법사

오즈에서 상상팩토리 어학원을 운영 중인 장희정 원장입니다. 오즈의 마법사는 엄청난 능력을 갖춘 대마법사가 아닙니다. 그는 오마하에서 열기구로 오즈에 도착한 일반인이었습니다. 원래는 서커스에서 복화술을 하는 사람으로, 서커스단에서 쓰던 여러 가지 도구와 복화술로 정체를 숨기고 오즈의 리더로 살아가고 있었습니다. 이렇듯 우리는 모두 가면을 둘러쓴 임포스터처럼 삶을 살아가고 있습니다.

"진짜, 당신은 누구입니까?"

아이들을 꿈꾸게 하는 영어 선생님으로 이 글을 쓰며 저는 제가 누구인지를 분명하게 알게 되었습니다.

"저는 과거와 현재 그리고 미래가 연결된 유니버스에서 아이들과 함께 꿈을 꾸는 교육 여행가, 장희정입니다. 오즈의 마법사죠."

상상팩토리 어학원의 아이들 모두 자기 자신이 누구인지 깨닫게 되는 순간, 그들의 성장은 멈추지 않을 것입니다.

중국 극동 지방에서 자라는 모소 대나무는 씨앗이 뿌려진 후 4년 동안 단, 3cm밖에 자라지 않는답니다. 이 대나무는 4년 동안 시간이 멈춰버린 것처럼 아무런 미동도 하지 않다가 5년이 되던 해부터 매일 30cm씩 성장하며, 6주 차가 되면 그 자리는 순식간에 빽빽하고 울창한 대나무 숲을 이루게 됩니다. 모소 대나무는 멈춘게 아니라 4년간 땅속에서 깊고 단단하게 뿌리를 내려 어느 순간 엄청난 성장하는 것입니다. 우리 아이들에게도 이렇게 뿌리를 내리는 시기가 필요합니다. 눈에 띄는 성과와 열매는 없지만, 도약을 위해 내실을 다지는 시기가 필요합니다. 상상팩토리 어학원 프로젝트 수업으로 성장하는 아이들은 모소 대나무의 성장기와 비슷합니다. 초등학교 1학년 때 입학해서 알파벳부터 배워서 다양한 프로젝트 수업을 하며 주제를 탐험하고 기술을 익히며 공부한 학생들은 3, 4학년이 되면 급성장을 시작합니다. 저는 이 길고 긴 아름다운 성장의 과정을 기록하며 아이들을 가르치고 있습니다.

이 세계의 어느 지점에 존재하는 상상팩토리 어학원은, 당신이 찾기만 하면 발견할 수 있습니다. 우리 아이들에게 좋은 질문으로 상상을 자극하고 배움의 즐거움을 알 수 있도록 365일 프로젝트 영어 수업으로 아이들을 성장시키고 있습니다. 영어의 모든 걸 담은 집, 오즈의 상상팩토리 어학원으로 여러분을 초대합니다. 우리가 꿈꾸는 모든 것이 다 있는 이곳은 상상팩토리 어학원입니다. 저는 영어를 가르치지만, 오늘도 아이들 속에서 인생을 배우고 있습니다.

2024년 1월 13일 상상팩토리 어학원 개원 20주년 기념 편지
오즈의 마법사, 장희정 올림

PILOT PROJECT

10/10/3 Lisa

Who is a pilot?
- A pilot is a person who can control an airplane.
- A pilot communicates with a traffic tower.
- A pilot usually works with a co-pilot.
- A pilot checks engines and fuel.
- They tell passengers and crew about the journey's progress.
- They brief the cabin crew.

PILOT

PARTS OF AN AIRPLANE

- fuselage
- cockpit
- rudder
- vertical stabilizer
- horizontal stabilizer
- Jet engine

memories

에필로그

    학생과 영어를 사랑하는 그 마음 하나로 책을 쓰기 시작했습니다. 많이 부족한 실력이지만 저에게는 도전하는 삶이 멋있는 일이라 주저하지 않았습니다. 오후에는 영유아기관에서 영어강사로 저녁에는 학원과 과외수업을 하며 영어를 가르쳤습니다. 영유아부터 초중고 학생들을 모두 가르치며 각 연령에 맞게 영어를 가르치는 경험을 토대로 공부방을 운영하게 되었습니다. 학생들에게 영어를 재미 있고, 효율적이고 쉽게 배울 수 있는 환경을 제공하기 위해 도전한 일입니다. 학생들에게 도움을 줄 수 있는 엄마 같은 때로는 친구 같은 넓은 마음으로 학생들과 마음으로 소통하는 원장의 삶을 살고자 합니다. 행복과 긍정의 에너지를 전하는 쏘피 클래스 원장 김보라입니다.

쏘피 클래스 김보라 원장

    마흔이 넘어 드디어 책을 써봅니다. 감개무량하다는 말 말고는 이 기분을 어찌 형용할 수 있을까요. 막연하게 꿈꾸어 오던 작가라는 꿈을 현실로 이룰 수 있던 힘은 바로 용기였습니다. 누군가에게는 저의 이야기가 도움이 되길 바라며 영어 강의를 시작하게 된 시점부터 직접 커리큘럼을 짜고 원을 운영하기까지의 굵직한 이야기를 담았습니다. 영어라는 언어를 통해 한 사람의 인생이 어떻게 변화하고 자리 잡았는지 부디 편하게 읽어주시기를 바랍니다. 무엇보다 스스로에 대한 믿음을 가지고 일을 할 수 있도록 도와준 항상 내 편인 가족들의 하해와 같은 도움에 감사하고, 영어 교육에 대한 신념이 틀리지 않았음을 증명할 수 있도록 수업할 수 있는 기회를 주었던 모든 학생과 어머님에게 감사합니다.

다니엘라잉글리시 김정아 원장

막연한 꿈이었던 죽기 전 책 한 권 내보기. 설렘과 긴장 그 어디쯤에 시작해서 많은 기회와 변화를 만나며 성장하고 있는 나의 이야기를 담았습니다. 모두가 안 된다고 해도 맹목적으로 나를 지지하던 엄마로부터 얻은 나의 도전 정신이 오늘 이 글을 만나게 했습니다. 아이들에게 영어를 가르치고 있지만 저 또한 아이들에게 많은 것을 배우고 있습니다. 아이들이 자라는 것처럼 저도 매일 조금씩 성장하고 있습니다.

나를 성장시키고 있는 많은 영향력들처럼 독자들에게 나의 글이 천천히 녹아들어 오래도록 스며있길 감히 기대해 봅니다.

신디 영어교실 신미선 원장

"영어는 저와 아이들의 꿈을 찾아가는 여정입니다." 돌이켜보면 제 인생이 다 노력한다고 이루어지지는 않았습니다. 열심히 했지만 실패했고 절망으로 가득 찬 날도 많았습니다. 하지만, 단 한 번도 포기한 적은 없었습니다. 남들보다 똑똑하지 못했음을 받아들이니 더 많이 노력하면 됐고 목표가 분명 했으니 시간이 좀 걸릴 뿐이었습니다. 그래서, 영어교육에 나를 드러내는데 18년이라는 시간이 걸렸습니다. 매일 매일 아이들을 가르치면서 제 인생을 들여다봅니다. 포기만 하지 마세요! 남들보다 조금 더 시간이 걸릴 뿐입니다. 부딪히고 쓰러지면 다시 일어나세요! 여러분의 실패와 좌절은 "끝"이 아니라 "꿈"을 이루기 위한 과정일 뿐입니다. 여러분의 열정, 도전, 실패, 좌절은 성장하기 위한 종합세트 선물입니다. 오늘도 영어단어를 외우며 고군분투하는 여러분을 응원합니다.

Keep going...

이화영어 이보미 원장

나도 작가가 될 수 있다는 근거 없는 자신감으로 글을 쓰기 시작했습니다. 2023 연말, 바쁜 와중에도 귀한 분들과 함께 나의 이야기를 펼칠 수 있다는 새로움을 경험하면서 몇 날 며칠을 행복하게 보냈습니다. 한번 글을 쓰기 시작하니 나의 삶이 전반적인 정리가 되는 것 같아 한줄 한줄 완성되어 가는 것을 보며 그렇게 뿌듯할 수가 없었습니다. 영어 원장으로서 이제 7년 차가 되었지만, 아직도 큰 꿈을 키우고 성장을 꿈꾸고 있습니다. 나를 원장으로 만들어 준 초기 회원부터 신규 회원까지 우리의 만남을 귀하게 여기며 학습에 대한 교육이 아니라 인생을 멋지게 살아가는 방법을 제시하는 교육자 임채윤을 이 책에 선언합니다.

유앤아이 잉글리쉬 임채윤 원장

　20년간 학원을 하며 아이들을 위해 수많은 다짐들을 했던 순간들을 이 글에 담는 동안 영어프로젝트 디자이너 빈스 선생님께서 우리 학원만의 노래를 만들어 주셨습니다. 시대가 변하고 교육이 변해도 아이들이 꿈꾸고 행복하게 배울 수 있는 교육 공간을 만들 것을 약속드리며 상상팩토리어학원 선생님들의 감사와 사랑의 마음을 이 노래에 담아 학부모님들께 전해 봅니다.

　Come to Sang Sang Factory. Where we'll help you build your dreams. You'll learn and play and make mistakes. Hey, that's ok, 'cause that's how we grow. You can do anything. When you put your heart and mind to it. You can be anyone. You can have a future brighter than the sun. At Sang Sang Factory. At Sang Sang Factory. At Sang Sang Factory.

상상팩토리 스튜디오 장희정 원장

Thanks!

전지적 영어 원장 시점

영어를 가르치지만,
인생을 배우고 있습니다

펴낸이
-
안지원

펴낸곳
-
드림빅북스